el
HUERTO

EDICIÓN

Dirección editorial
Jordi Induráin Pons

Edición
M. Àngels Casanovas Freixas

Redacción
Astrid van Ginkel
(www.fitomon.com)
Amanda Laporte
Toni Monné
Nathalie Pons

Diseño, maquetación y cubierta
Marc Monner Argimon,
con la colaboración de Silvia Blanco

Ilustraciones
Ángel Domínguez,
con la colaboración de Raúl Domínguez

Fotografías
© Shutterstock (ver créditos fotográficos en p. 160)

Ilustraciones de cubierta
© Ángel Domínguez

Agradecemos muy especialmente las aportaciones de Francesc Ferrer i Alegre y Jordi Huguet i Solé.

© 2012 Larousse Editorial, S.L.
Mallorca 45, 3.a planta - 08029 Barcelona
Tel.: 93 241 35 05 – Fax: 93 241 35 07
larousse@larousse.es - www.larousse.es

ISBN: 978-84-15411-34-5
Depósito legal: B.7921-2012
1E1I

el HUERTO

Amanda Laporte Toni Monné Astrid van Ginkel

Dibujos de
Ángel Domínguez

LAROUSSE

sumario

plantel

siembra

herramientas

riego

recolección

Las herramientas básicas

Antes de iniciar el proyecto de tener un huerto, es aconsejable saber qué tipo de herramientas se necesitan. No obstante, no te precipites, ya que su elección dependerá tanto de la superficie como de los vegetales que decidas plantar. Si dispones de un terreno de más de 100 m² , tendrás que incorporar maquinaria agrícola como, por ejemplo, un motocultor. Compra las herramientas imprescindibles y que tengas previsto usar con frecuencia. El resto puedes decidir pedirlas prestadas si solo las utilizas de vez en cuando. No adquieras aperos inútiles. A la hora de comprar herramientas, es importante considerar que la espalda se puede resentir, y ser consecuente con ello. Es necesario guardar estas herramientas en un lugar protegido de la lluvia, la niebla y las inclemencias del tiempo. Deberás tener claro dónde colocarlas. Y piensa en su mantenimiento después de su utilización. Si las cuidas, alargarás su vida útil.

imprescindibles

- **La azada** es indispensable para hacer los caballones. Escoge una con el mango suficientemente largo para no que no te dañe la espalda.
- **Una pala pequeña** es aconsejable para mover pequeñas cantidades de tierra y para practicar pequeños agujeros, así como para plantar el plantel.
- **Una trasplantadora** puede ser necesaria en un huerto grande, aunque también puedes emplear una paleta, ya que es más versátil. Sin embargo, si debes mover mucha tierra durante el año o es mucha la superficie que tienes que trabajar, es recomendable una trasplantadora manual de tubo largo para poder realizar esta actividad de pie. Esta es práctica cuando son dos personas las que plantan. En este caso, una la utiliza y la otra va poniendo los planteles en el tubo. Se pueden cubrir grandes superficies con celeridad.
- **El cultivador de mano** es como un rastrillo corto y pequeño que ayuda a remover la tierra y a retirar las malas hierbas.
- **Una bicicleta tipo Ecoprac** es sumamente útil para un pequeño huerto. Si incorpora diferentes aperos, como el cortante, el arado, el surcador o el cultivador, es posible realizar diferentes actividades.

Es una herramienta versátil que permite tener la espalda recta. Puede servir para eliminar las hierbas, aunque si la superficie supera los 100-200 m², es preferible una desbrozadora o un motocultor.

- **La manguera y la regadera** son muy útiles si no se tiene instalado un sistema de riego gota a gota. Si piensas adquirir uno, es preferible que sea automático, aunque debes tener en cuenta que se requiere una inversión inicial de tiempo y de dinero.
- **Unos guantes** son imprescindibles para proteger las manos.
- **La horca**, sobre todo la de doble mango, te servirá para remover la tierra sin intercambiar las capas (perfiles) y dejarla bien mullida. La horca te permitirá mover restos del cultivo y, si es resistente, te servirá para airear la tierra sin voltearla; además, si las púas son redondas, no perjudican a los gusanos.

- Si preparas extractos y fermentados para tratar las plagas del cultivo, te será útil un **pulverizador**. Deberás elegirlo en función del tamaño del huerto; si es pequeño, será suficiente con uno de un litro; en el caso de que sea grande, será preferible uno de espalda.
- Hay **tijeras de podar** de diferentes tamaños. Puedes escoger la que te sea más práctica. Será útil para podar y recolectar.
- **Una compostadora** te permitirá fertilizar el huerto y aprovechar los restos orgánicos de la alimentación cotidiana.

- **El cesto** para recolectar los frutos del huerto es muy práctico.
- **Las cañas** son necesarias para que sirvan como soporte a los tomates, las judías o los guisantes. Puedes utilizar también soportes más rudimentarios, como ramas o estructuras más sofisticadas con maderas y cables.
- **Cordel de rafia o tiras de ropa de algodón** para sujetar las tomateras.
- **Paja, hierba cortada**, **ortigas** y **ramitas** para el acolchado.

No tan básicas, pero que deben tenerse en cuenta

- **Una pala grande y una carretilla** para mover grandes cantidades de tierra o estiércol.
- **Un rastrillo**, que puede ser útil.
- **Una binadora** es más ligera pero solo se utiliza en suelos suficientemente ligeros o una vez se haya removido la tierra.
- **Recipientes** para hacer el plantel.
- **Etiquetas**, **rotulador permanente**, recipientes de vidrio para las semillas, un cuchillo.
- **El escardillo** sirve para remover la tierra, hacer caballones, apretar, arrancar raíces, etc.
- Las herramientas limpias y sin óxido funcionan mucho mejor. Puedes limpiarlas con un **cepillo** o con una **mezcla de aceite y arena**. Los mangos de madera se pueden tratar e hidratar con aceite de linaza.

Un huerto es la expresión de uno mismo...

... por ello, nada es más valioso que la propia experiencia, y esta únicamente se adquiere empezando. El libro que tienes en tus manos es un soporte básico, pero también te resultarán muy útiles los propios errores, las pruebas y los aciertos. Comparte tu experiencia con amigos y vecinos; pueden darte unas semillas, decirte dónde comprar plantel, cuándo plantan cada vegetal, qué cuidados requieren o cómo previenen la aparición de una plaga. Un huerto no depende solo de tu trabajo, sino que también está sujeto a variables externas como el clima o el tipo de suelo. Un año de sequía, una helada no prevista, una plaga o un exceso de agua afectarán de manera irremediable a la calidad o a la cantidad de frutos esperados.

Es recomendable llevar un registro de todas las actividades que realices. Ten a mano una libreta y apunta cuándo plantas y recolectas, cuánto riegas, qué temperaturas y lluvias caen o con qué variedades te va mejor. Ese es tu conocimiento y será tu experiencia. No esperes recordar todo, puesto que al cabo de 3 años se confunden las añadas.

Intenta recabar la máxima información del pasado cercano de la parcela, puesto que de este modo podrás entender su presente.

Permite que tu huerto sea como un jardín, que las hortícolas se mezclen con las aromáticas y los frutales, y estos con los claveles y otras plantas ornamentales para diversificar, embellecer y sanear tu huerto, y para que visitarlo sea motivo de placer visual, además de llenarte la despensa.

Cómo se estructura un huerto

Es recomendable empezar con una pequeña parcela. Es aconsejable que no tenga un exceso de piedras, un acceso complicado y difícil, una pendiente excesiva, unas formas irregulares, un suelo poco profundo o con una salinidad excesiva, ya que estos factores van a dificultar el manejo y afectarán a los resultados del cultivo.

Es fundamental que el terreno esté bien trabajado. La presencia de piedras, terrones y malas hierbas dificulta la plantación y condiciona el éxito del cultivo. Si se empieza con una tierra abandonada, es preferible trabajar la tierra varias veces y aplicar estiércol unas semanas antes de plantar.

Para organizar bien el huerto, debes tener en cuenta qué vas a plantar y cuánto, dónde y cómo lo plantarás, así como cuándo sembrarás, trasplantarás y recolectarás. A su vez, debes plantearte dónde guardarás las herramientas, dónde crecerá el plantel, dónde prepararás los tratamientos, dónde ubicarás la compostadora, así como los depósitos de recogida del agua de lluvia, si tendrás un seto orientado al norte, si colocarás un gallinero móvil y dónde plantarás los frutales y aromáticas perennes, ya que estarán ahí unos años.

Lo primero que te debes preguntar es qué es lo que quieres que produzca tu huerto. ¿Qué hortalizas te gustan más? Ello te servirá de guía para saber qué plantar. Asimismo, debes tener claro qué cantidad vas a plantar de cada producto, algo que dependerá del número de gente que vaya a consumir los vegetales. Uno de los inconvenientes de tener un huerto propio es la cosecha que se obtiene en un momento dado y de una vez. Es preferible ir plantando poco a poco, de manera escalonada, para que no llegue todo de una vez. Lo ideal de una buena planificación es poder recolectar alguna cosa durante todo el año y que, a su vez, no se tenga sobreproducción. En este segundo caso, es útil saber preparar conservas, congelar o regalar a alguien parte de los productos.

Se considera que un terreno de 50 metros cuadrados es suficiente para alimentar a una o dos personas, y esta superficie es ideal para empezar a plantar y a adquirir conciencia del trabajo que representa. Busca siempre un lugar soleado. Marca el perímetro y un pasillo interior de al menos 1,5 metros como lugar de paso; para ello, coloca una madera, piedras o losas para no pisar el terreno directamente.

Las estaciones del año van a resultar de ayuda para planificar el huerto. Si agrupamos las hortícolas por zonas (a, b, c y d), y por épocas (verano: de marzo a agosto, invierno: de septiembre a febrero), nos ayudarán a organizar las superficies y facilitarán las rotaciones.

Intenta elaborar un calendario, ya que te ayudará en la distribución de la superficie, así como a organizarte en el momento de la siembra, del trasplante, de la cosecha, del instante en que maduran las semillas, etcétera.

Intenta plantar las hileras en dirección norte-sur, ya que de esta manera la insolación será muy regular. Hay que tener en cuenta que hay que trazar la distancia entre filas pensando en el tamaño y la longitud de las herramientas de las que disponemos. El espacio entre planta y planta depende del que requerirá esta cuando sea adulta, así como del modo en el que vayamos a proceder para eliminar las hierbas de su alrededor.

Ciertos ejemplares se deben plantar en hileras, como las lechugas, las alcachofas, las cebollas, las judías o los tomates; en cambio, otros se pueden ubicar en áreas planas, como, por ejemplo, las espinacas o las zanahorias. El calabacín, la calabaza o el melón crecen en longitud, y se les debe dejar mucho espacio alrededor.

Cuando sepas qué estructura darás al huerto y su diseño, marca las hileras haciendo un caballón de unos 10 cm y planta cada taco a media altura, coincidiendo con el orificio del riego gota a gota; también es posible regar el caballón de cada hilera. También se puede organizar la superficie por bancales elevados.

El tiempo estimado desde la siembra o plantación hasta la recolección para su consumo depende de cada planta. Se sitúa en menos de cien días en el caso de la cebolla, la col, las espinacas, los guisantes, las judías, la lechuga o las zanahorias, y más de cien en las berenjenas, el calabacín, la calabaza, la coliflor, el melón, las patatas, el pimiento o los tomates. Cada una de las hortícolas debe sembrarse, trasplantarse y cosecharse en el mejor periodo posible. Cada cultivo necesita su tiempo de recolección; algunos son lentos, como los frutales (manzana o cerezas), mientras que otros crecen con más celeridad, como los calabacines, las lechugas o las espinacas. Hay plantas que tienen una única recolección, como las lechugas, y otras disponen de varias, como los tomates. Hay que tener en cuenta que algunas hortícolas pueden aguantar mucho tiempo en la tierra sin estropearse o espigarse, como la col o el brécol, y que una vez que se recogen, dejan espacio para plantar otro vegetal. El tomate, en cambio, se recolecta durante todo el verano.

El control de los parámetros básicos nos puede conducir al éxito o al fracaso de nuestro huerto: el agua y la exposición solar, así como la competencia con las adventicias, el abono, la biodiversidad o las rotaciones.

Control de las adventicias: si no tienes tiempo de eliminar las hierbas, la producción se reducirá, pero no tendrá consecuencias nefastas. No obstante, no debes bajar la guardia, sobre todo en primavera. No dejes que una hortícola se cubra de hierbas. Si se juega con la densidad de plantación del cultivo o se controla el abonado, se reduce la aparición de adventicias. Se pueden eliminar a mano con una desbrozadora o con una azada o biciazada. Si se planta abono en verde con trébol, se combaten las hierbas. En invierno, el abono en verde de leguminosas (trébol, esparceta, alfalfa, fenogreco, lotus) devuelve el nitrógeno a la tierra y proporciona una cobertura permanente al suelo. Otra opción es pasar el motocultor para levantar las raíces y secar la tierra. Para reducir el tiempo empleado en eliminar las adventicias, utiliza el acolchado a partir de una bonanza climática, ya que, a su vez, mejorará la humedad del suelo.

Un acolchado es útil en verano y en invierno, pues protege de la temperatura. Un acolchado de compost y paja impide que se evapore el agua de riego, conserva la humedad y evita la aparición de adventicias. Y, mira al cielo, a la Luna y las previsiones meteorológicas. No es preciso regar si va a llover al día siguiente.

El suelo

El suelo es el bien más preciado del huerto. Cuidarlo y mejorarlo reportará beneficios en todos los sentidos:

- Será más fértil al tener más capacidad de suministrar los nutrientes que necesita la planta.
- Será capaz de retener más agua, ya que sus poros, al igual que una esponja, almacenarán agua para que las raíces la puedan absorber.
- Será más resistente a la compactación, y, por tanto, las raíces podrán crecer mejor y de forma más aireada, y los microorganismos beneficiosos podrán trabajar más a su gusto.

Las labores de preparación de un suelo se deberían limitar a crear los caballones o el bancal y a incorporar la materia orgánica. En cuanto al control de las malas hierbas, pueden ser útiles las escardas superficiales cuando las plántulas son pequeñas para evitar que crezcan o compitan por la luz, el agua y los nutrientes, y que produzcan semillas. Sin embargo, hay que tener en cuenta, si se tiene adventicias que se reproduzcan por rizoma, que hay que eliminar las raíces enteras, como en el caso de *Convulvulus sp.* o *Cyrsium sp.*

Mantener la calidad del suelo significa conservar sus cualidades físicas, químicas y biológicas. La propiedad más importante y característica de un suelo es su textura. Si con una pala sacamos una muestra de suelo y lo desmenuzamos, quedarán partículas minerales de diferentes tamaños. Dependiendo de su proporción, se tendrá una textura u otra. Un suelo de textura arenosa tiene la mayoría de partículas grandes, de un tamaño entre 0,05 y 2 mm. Si este mismo suelo se desarrolla sobre una roca sedimentaria de tipo limoso, habrá menos proporción de arena y más partículas de tamaño limo de 0,002 a 0,05 mm. En el suelo del fondo de un valle predominan las partículas más finas tipo arcilla de tamaño inferior a 0,002 mm. Las arcillas se combinan con la materia orgánica para estructurar el suelo y darle capacidad fértil. Asimismo, aportan mayor porosidad a la tierra y, por tanto, mayor capacidad para el almacenamiento de agua. En cambio, un suelo con un contenido elevado de arcilla será más difícil de trabajar, ya que se endurece al secarse y, cuando está mojado, es muy plástico, pegajoso y compactable, lo que dificulta que se filtre el agua.

El suelo se organiza en capas u horizontes. En el ámbito mediterráneo, la capa superficial puede oscilar entre 5 y 40 cm de espesor y es, de lejos, la parte del suelo más destacada y la que hay que mimar con más esmero. Lo más importante es realizar aportaciones de materia orgánica de forma regular, mantener el suelo cubierto con acolchados y evitar, en la medida de lo posible, pisotear y compactar el suelo, sobre todo cuando está húmedo. Con estas tres prácticas, se asegurará un aporte de nutrientes y una buena estructura, aireación y circulación del agua. La capa más profunda del suelo (> 40 cm) por lo general no se remueve al pasar el motocultor o al labrar manualmente el huerto. Tendremos que vigilar y realizar alguna labor profunda (horca de doble mango) si hay capas de suelo muy compactadas que dificulten el drenaje.

Es común ver cómo a muchos hortelanos les gusta tener siempre el suelo trabajado y esponjoso, sin malas hierbas, ni acolchado, aunque esta continua manipulación de la tierra es muy cuestionable. El motivo de esta práctica continua de remover el suelo, que no parece ser la acertada, se debe a la creencia de que mejora la permeabilidad y evita que el agua almacenada en las capas profundas ascienda por capilaridad y se evapore.

Si se labra en exceso, se desnuda el suelo y se deja sin protección. De este modo, cuando caen las gotas de agua, destruyen la estructura de la superficie y provocan un sellado de los poros, y esto causa una drástica disminución de la filtración y de la capacidad de almacenamiento de agua y, por tanto, un riesgo de erosión. Si se rompe y trabaja esta capa, se estarán exponiendo directamente a la atmósfera las capas más profundas que están más húmedas, con lo que se perderá la humedad almacenada.

En cambio, si no se remueve tanto la tierra, al secarse la superficie de este suelo se crea una capa de 5 a 20 cm que evita la evaporación del agua. Un suelo con la capa superficial seca ya no evapora el agua, y, por tanto, conserva la humedad. Aunque un suelo permanentemente mojado evapora en exceso. Otro factor desfavorable es la presencia de adventicias, que se convierten en verdaderas bombas de extracción y vacían el almacén de agua para nuestras hortícolas.

Casi todos los suelos tienen algún componente limitante: es poco fértil, tiene baja capacidad de retención de agua, es poco profundo, es salino, está muy compactado, se encharca, o es muy calcáreo. Siempre es posible adaptarse o bien corregir ese defecto, añadiendo materia orgánica cada año, elevando el bancal unos 20 cm del suelo, regando de manera adecuada, mejorando el drenaje, o no pisando la tierra del huerto cuando el suelo está húmedo.

Por ejemplo, un suelo muy arenoso suele tener un bajo contenido de materia orgánica (< 2 %), es poco fértil y retiene poca agua, aunque no presenta problemas ni de compactación ni de encharcamiento. En este caso, la preparación del suelo será fácil, no se formarán terrones ni se compactará al trabajarlo con una humedad elevada, ni es duro al secarse. El agua se filtra con facilidad y drena en exceso, así, pues, se tendrá que regar de manera frecuente y breve para mantener la zona radicular con una humedad óptima. Las deficiencias de nutrientes más frecuentes son la de nitrógeno, que hace que aparezcan unas hojas viejas de color amarillo; la de magnesio, con unas hojas viejas amarillas entre los nervios; la de calcio, con el margen amarillo en las hojas jóvenes, y la de hierro, con amarillo entre los nervios de las hojas jóvenes.

A modo de resumen se recomienda:

- No trabajar el suelo en exceso, ya que se favorece la degradación de su estructura.
- No pisar ni compactar el suelo. No entrar en el huerto cuando ha llovido.
- Aportar materia orgánica compostada de forma regular, cada 3 meses, de 1 a 3 kg por m², dependiendo de la hortaliza, y preferiblemente en otoño e invierno.
- Intentar utilizar los acolchados para mantener y mejorar las propiedades del horizonte superficial del suelo.
- Trabajar el suelo ligero en primavera y el arcilloso en otoño.

La siembra

Se entiende por sembrar el acto de depositar una semilla en la tierra (directamente en el suelo o en un recipiente) y plantar, o bien colocar una planta ya germinada (plantel o trasplante). Se recomienda sembrar por la mañana, por ejemplo, las patatas, y plantar (plantel) por la tarde.

De algunas especies se tiene que sembrar directamente la semilla, mientras que de otras se requiere preparar previamente un plantel. Este debe disponerse con delicadeza. Tanto en siembra directa como con el plantel, se precisa un suelo blando y esponjoso previamente trabajado. Hay que practicar un agujero, poner las semillas y cubrir con tierra. Se recomienda compactar bien la tierra para mejorar el contacto de la tierra nueva con las raíces o la semilla. No se debe mojar la tierra del agujero donde se va a sembrar o plantar, sino que es preferible regar el vegetal una vez se ha plantado. La humedad constante favorece la germinación. Determinadas semillas tienen una germinación rápida: de 3 a 5 días (rúcula), otras, 1 o dos semanas, y ciertas plantas una germinación lenta, pues pueden tardar hasta 3 semanas. Hay que tener paciencia. Basta que lleguen las temperaturas adecuadas para cada vegetal.

Obtención de la semilla

Cada año, después de la cosecha, es interesante recuperar las semillas que se utilizarán para el huerto la próxima temporada. Por tanto, en julio se tienen que escoger las plantas del cultivo destinadas a producir la semilla. Cuando están maduras se recogen, se secan, se introducen en botes de vidrio, identificando de qué hortícola se trata y la variedad, la fecha, el origen, así como otra información que se crea conveniente. Es recomendable conservarlas en unas condiciones ambientales frescas y secas. Si se intercambia semillas con los vecinos de la zona, se estará fomentando la biodiversidad y probablemente se tenga en las manos unas semillas autóctonas de un gran valor local y de elevada adaptación gracias a la selección durante generaciones. De lo contrario, siempre es posible comprar semillas o plantel en lugares especializados cerca de casa.

Tipos de siembra

La siembra directa se utiliza con las semillas mayores y de plantas vigorosas, ya que interesa conseguir una germinación lo más homogénea posible. Entre las hortícolas de las que se recomienda la siembra directa se hallan las habas, los guisantes, los ajos, las judías, las patatas, las zanahorias, los rábanos, los nabos, e incluso las espinacas. Esta opción es mucho menos segura, ya que depende más de la lluvia y requiere un control intenso de las adventicias. Si el cultivo no es muy vigoroso o si sembramos en otoño, puede que las malas hierbas nos ganen la partida al inicio de la primavera. Si la densidad plantada es elevada se puede aclarar.

Otra forma más segura es tener plantel para posteriormente trasplantarlo al huerto.
Siempre se puede recurrir a un sistema mixto: hacer plantel de una parte de las hortícolas con semillas del año anterior y comprar el resto.

¿Cómo se hace el plantel?

- Comprueba que los recipientes tengan un orificio.
- Etiqueta o identifica los recipientes de cada especie/variedad.
- Llena el recipiente con sustrato. Compacta ligeramente.
- Pon 2 o 4 semillas juntas en cada hueco (alvéolo). No te quedes corto con el número de semillas que pongas en cada hueco.
- Si el recipiente es grande, deja 5 cm entre cada hueco.
- Esparce una capa de tierra fina por encima de las semillas. Compacta ligeramente.
- Riega con cuidado. De este modo, se evita remover las semillas.
- Mantén la tierra siempre húmeda, pero sé prudente con el riego y no encharques. En verano, con sol directo, en pocas horas las plántulas se secan y mueren.
- Coloca el plantel no directamente en el suelo en un

lugar donde dé el sol de pleno un par de horas al día (a primera hora de la mañana o última de la tarde), resguardado de las bajas temperaturas y del viento, y que sea muy luminoso. Una vez las semillas hayan germinado, las plántulas cada vez necesitarán más luz; si no tienen este requisito crecerán demasiado y se alargarán. Protege el plantel, de noviembre a febrero o marzo, con un plástico o un vidrio.
- Cuando las plantitas tengan las raíces desarrolladas ya puedes trasplantar.

¿Qué se necesita para tener un plantel?

- Recipientes: de yogur, de agua, de cartón, cajas de madera, etcétera.
- Sustrato
- Regadera
- Semillas o esquejes

Siembra en bandejas

Es el método indicado cuando la semilla es muy pequeña, o si necesitamos gran cantidad de plántulas. Se coge una bandeja, se llena de sustrato, se riega humedeciéndolo bastante y se compacta con una madera plana. Después, con la ayuda de unos pequeños listones, se hacen unos pequeños canalones y se distribuye la semilla. A continuación, se recubre la semilla con sustrato (con un grosor 2 o 3 veces el tamaño de la semilla) y se vuelve a compactar con una madera plana (hay que asegurar un buen contacto semilla-sustrato).

El sustrato para plantel

Llamamos *sustrato* al material que se utiliza para sembrar nuestras plantas. Este debe cumplir una serie de requisitos:

- Alta capacidad de retención de agua.
- Elevada porosidad y aireación.
- Textura fina, homogénea, manejable y que se mezcle fácilmente. La presencia de elementos más grandes dificultaría la germinación.

- Estabilidad: no debe tener tendencia a aglomerarse o compactarse.
- Fácilmente rehidratable.
- Contenido en nutrientes y capacidad de almacenamiento.
- Baja salinidad.
- Ph: mejor si es neutro o ligeramente ácido (5.5-7.5).
- Que no esté contaminado con semillas.
- Evitar el uso de turba (es un recurso natural escaso y su extracción destruye unos ecosistemas muy particulares de zonas húmedas y frías).

Se recomienda una mezcla de materiales de textura fina y de elevado contenido en nutrientes (compost 40 % y tierra de exterior tamizados 40 %), junto con otros más gruesos que faciliten la aireación (perlita, vermiculita, 5-15 %), la capacidad de retención de agua (fibra de coco, 10-20 %) y la ligereza del sustrato.

¿Por qué no germina una semilla?

- Se ha plantado demasiado superficial o excesivamente profunda. Hay que sembrar la semilla a una profundidad el doble de su tamaño y de 3 a 4 veces su tamaño si se planta directamente en el exterior. Con las semillas pequeñas, basta remover un poco la tierra a nivel superficial.
- Drenaje pobre y falta de aireación. Como consecuencia de la excesiva humedad, se pudre.
- Almacenamiento inadecuado. Las semillas se deben guardar en un lugar seco y fresco.
- Corta viabilidad. Para asegurarnos, hay que realizar una prueba de germinación.
- Cubierta muy dura. La escarificación y el rascado de la cubierta la ablanda o agujerea, lo que acelera la germinación.
- Sensibilidad a la sequía. Algunas semillas, si se secan, ya no germinarán más.
- Necesita tratamiento de frío. Hay que poner las semillas en arena húmeda, en el frigorífico, durante cierto tiempo (de 3 a 8 semanas). En algunas especies se deben cumplir uno o dos ciclos de frío-calor para que germinen. Otra opción es sembrar en otoño y dejarlo en el exterior durante el invierno.

Test de germinación para semillas

Hay que coger un pañuelo de papel suficientemente grande para que se pueda doblar dos veces por la mitad con las semillas en su interior. Es importante humedecer el pañuelo y quitar el exceso de agua, y después poner 100 semillas en su interior y doblar el pañuelo en cuatro partes. Hay que ponerlo todo en una bandeja o en un plato en un lugar a temperatura ambiente (entre 15 y 25 °C) y pulverizar en ella agua para mantenerlo húmedo. Al cabo de 2 semanas ya habrá germinado el 50 % y se deberá plantar más cantidad.

Cómo se trasplanta

El plantel se debe trasplantar al huerto cuando el vegetal tenga sus raíces bien desarrolladas y se tiene que escoger el lugar definitivo. Normalmente son plántulas desarrolladas por nosotros o compradas, por lo general en taco y casi nunca raíz desnuda. Se plantará en la tierra manualmente, con la ayuda de una pala, de una plantadora de tubo o con una sembradora mecánica, dependiendo de la superficie y del número de plántulas.

Tipo de plantel

- Raíz desnuda: utilizado en algunas plantas perennes (tomillo). Las plantas se dejan germinar en bandejas o en camas de siembra; cuando han crecido de manera suficiente en la parte aérea y de raíz (entre 8 y 20 cm), se arrancan con cuidado y se plantan en el campo directamente. Entre las ventajas se encuentra que la raíz tiene un desarrollo más pivotante. Entre los inconvenientes se encuentra un manejo más incómodo, la rotura de raíces durante el trasplante, y una mayor incertidumbre en la implantación en el campo (serán más sensibles a la falta de agua).

- En cuanto al taco y al minitaco, el primero es el típico con el que se venden las lechugas, las coles, etcétera. Cuanto mayor es el taco y la planta que debe trasplantarse, mayores son las posibilidades que crezca bien en el campo. Si se ha desarrollado en invernadero, es conveniente que esté unos días en el exterior, bien regado, para que se vaya adaptando a las condiciones que encontrará en el campo. Tanto en el periodo de vivero como de aclimatación, las bandejas nunca deben estar en contacto con la superficie del suelo, así el agua de riego no se acumula y no aparecen problemas de hongos.

¿Dónde se trasplanta?

Tanto si se siembra directamente como si se trasplantan tacos es muy importante que el terreno esté bien trabajado y sea esponjoso. La presencia de piedras, terrones, pendiente y acumulaciones de malas hierbas dificulta mucho la plantación y el éxito de implantación. Hay que respetar las distancias de las plantas maduras. Una vez plantado se debe regar bien, aunque previamente el taco debe estar empapado.

¿Cómo se trasplanta?

Las plantas necesitan ser trasplantadas cuando tienen entre 6 y 8 hojas y las raíces están bien desarrolladas.
- Riega el plantel abundantemente el día anterior.
- Practica un agujero con una pala pequeña.
- Coloca el plantel en el centro, no dobles la raíz y rellena el agujero con tierra. No la entierres en exceso.
- Respeta la distancia entre plantas.
- Presiona bien la tierra a su alrededor para que todas las raíces entren en contacto. Deja un ligero desnivel para que, al regar, el agua permanezca.
- Protege con un acolchado mezclando compost y paja o hierba recién segada.
- Riega abundantemente cuando trasplantes, y durante los primeros días, y espacia los riegos a partir de la segunda semana.

El riego

El agua es un bien escaso en la zona donde vivimos y hay que usarla con responsabilidad. Su uso eficiente en el huerto significa evitar el consumo innecesario. El gran reto es destinar la cantidad suficiente a cada planta del huerto con el fin de obtener un fruto. Otro objetivo es diseñar un sistema de riego que no desperdicie el agua y la dirija a áreas donde se hallan las plantas y, concretamente, a vegetales que la necesitan más. Por todo ello, el gota a gota supone controlar cuánta agua hay que regar, cuando y exactamente dónde. Otro tema que debe pensarse es con qué agua se regará en lo que se supone que será una instalación que recupere el agua de lluvia. Si hay un año de sequía, debemos aceptar que nuestro huerto no producirá lo de otros años, a no ser que nos alimentemos exclusivamente de él. Regar de forma poco eficiente no beneficia a nadie. Regar bien significa observar, aprender y utilizar la lógica para no malgastar agua. La planificación se mejora si en el huerto se diseñan zonas de mayores requisitos y otras de no tanto riego, si escogemos variedades locales que estarán adaptadas al clima y si evitamos o reducimos la evaporación en primavera y verano con acolchados.

Riego y suelo

Las plantas necesitan absorber agua para poder vivir. Las condiciones mínimas para que las plantas puedan crecer y dar frutos con comodidad son disponer de suficiente agua, de un suelo con capacidad de retención de agua sin que se encharque, y de raíces bien desarrolladas. Si falta agua en el suelo, las plantas intentan no deshidratarse y cierran los estomas, el lugar donde se desarrolla la fotosíntesis, que deja de funcionar. No se pueden absorber nutrientes del suelo, y probablemente no estaremos satisfechos con la cosecha. Un exceso de riego y drenaje arrastra nitratos, sales y otros productos que pueden llegar a contaminar los acuíferos.

Riego y planta

La planta absorbe el agua del suelo a través de las raíces. Cada una tiene unas necesidades hídricas diferentes, que, además, dependen de su tamaño y de la fase del ciclo en que se encuentran (sacando hojas, floración, generando el fruto).

A las hierbas aromáticas típicas de secano (tomillo o romero, por ejemplo), que podemos tener en el huerto, no les gusta la tierra húmeda, ya que prefieren un suelo que drene rápidamente, puesto que los encharcamientos generan hongos que pudren sus raíces y, en consecuencia, mueren. En cambio, la hierbabuena precisa un riego continuo, gracias al cual puede incluso llegar a ser invasora. En la mayoría de hortalizas, será importante mantener el suelo húmedo para evitar el estrés hídrico, pero si el riego es excesivo, tiene lugar un exceso de drenaje, sobre todo en suelos más arenosos o pedregosos, con el consecuente malgasto de agua. Con agua en el suelo y con plantas pequeñas no es preciso regar tanto porque o se evapora o drena.

Riego y clima

Se regará siempre en función de las condiciones climáticas. Los días calurosos, con viento y sequedad ambiental, favorecen la pérdida de agua (evaporación, transpiración) y, por tanto, la reserva de agua del suelo disminuirá rápidamente. En un día caluroso del mes de agosto, se puede llegar a perder hasta 7 u 8 litros de agua por m², por tanto, es preciso regar para que la planta disponga de agua. Por ejemplo, en verano, una lechuga bien desarrollada con raíces que lleguen a los 20 cm de profundidad puede tardar 2 días en aprovechar el agua disponible en el suelo, mientras que en invierno se puede tardar hasta 15 días.

Hay dos situaciones extremas. Si hace calor en verano, tendremos que regar con más frecuencia para reponer el agua que ha transpirado la planta y se ha evaporado a través de la superficie del suelo. En invierno o en periodos lluviosos y fríos, es muy posible que debamos dejar de regar para no saturar el suelo, ya que este queda sin oxígeno y se pudren las raíces, lo que provoca la muerte de la planta. Nuestra principal preocupación será decidir con qué agua regaremos, cómo y cuándo regar y durante cuánto tiempo o con cuánta agua.

Cómo se riega

El agua de riego puede proceder de un grifo de agua corriente, de un canal, un pozo, una balsa o un depósito de agua de lluvia. Podemos regar con manguera, regadera o gota a gota, o incluso con garrafas agujereadas a modo de gota a gota. Será preciso bombear el agua de un pozo o una balsa. Para regar con gotero se requiere presión procedente de una bomba (electricidad) o diferencia de altura. Un gotero requiere una presión de funcionamiento de unos 10 m.c.a. (metros columna de agua). Las ventajas del riego por goteo son que mojamos solo una parte del suelo (menos malas hierbas y evaporación) y que no mojamos las hojas, lo que reduce el riego de plagas y enfermedades. En suelos con escasa filtración o muy arenosos, necesitaremos goteros de muy bajo caudal (< 2 l/h) o cintas exudativas.

En hortícolas y en verano, los riegos gota a gota con programador de más de 60 son excesivos; es preferible un máximo de 2 veces al día, mañana y tarde, siempre dependiendo del clima y de la textura del suelo.

Cuándo es preciso regar

Depende de la demanda de agua de la planta, algo que se detecta cuando esta muestre los mínimos síntomas de marchitamiento. A la planta le es desfavorable el encharcamiento mientras está absorbiendo el agua, pues la acumulación de agua deja sin oxígeno las raíces, que dejan de respirar, se cierran los estomas y evita la absorción de agua durante un tiempo. En verano, una planta empieza a absorber agua aproximadamente desde las diez de la mañana hasta las seis de la tarde. Muchas especies, en las horas de máximo calor, pueden llegar a cerrar los estomas para no deshidratarse, y dejan

de absorber (2 horas aprox.). Por tanto, es preferible regar a primera hora de la mañana. Regar al atardecer puede provocar la proliferación de hongos, aunque en días muy calurosos se puede realizar un segundo riego.

Cuánto tiempo hay que regar o cuánta agua hay que aplicar

La cantidad de agua que apliquemos tendrá que ser suficiente para humedecer el suelo en profundidad hasta donde lleguen las raíces. La profundidad de las raíces dependerá de la especie; normalmente las hortícolas tienen el 80 % en los 50 cm superficiales del suelo y, por tanto, es ahí donde es necesario que no falte el agua. Ciertas especies, como la vid y los árboles frutales, excepcionalmente son capaces de absorber agua de capas muy profundas, incluso 2 y 3 metros. Al regar, el agua se filtra y llena los poros del suelo como si se tratara de una esponja. Refresca el ambiente, y, por tanto, se puede dejar de regar durante unos días. Cuando se riega durante mucho tiempo se malgasta el agua, ya que se supera la capacidad de retención de

agua del suelo. Con raíces que solo llegan a 20 cm de profundidad, es preferible regar poco y con frecuencia. El fullstop es una herramienta muy simple que puede ayudar a adecuar la cantidad de agua que se aplica en cada riego. Se trata de enterrar un embudo que alberga unos flotadores que suben o bajan en función de la profundidad a la que ha alcanzado el agua. El embudo se entierra entre 30 y 60 cm del suelo (lechuga-col, respectivamente), justo debajo de un gotero o al lado de una hortícola. Si después de regar los flotadores estos han subido, tenemos la certeza de que hemos regado suficiente para humedecer la zona de las raíces. Si no han subido, la cantidad de agua de riego no es suficiente y la debemos aumentar.

Como ejemplo, si tenemos una fila de tomateras, con un fullstop enterrado debajo del gotero a 50 cm de profundidad, y que en el mes de mayo realizamos 2 riegos diarios de 60 minutos, uno a las seis de la mañana y otro a las cuatro de la tarde. Si tenemos goteros de 2 l/h, separados 30 cm entre ellos y la fila es de 3 metros, estaremos vertiendo 40 l/h. Es muy posible que, al realizar el primer riego, el fullstop nos indique que el agua ha superado los 50 cm, y que el segundo riego ya no sea necesario. Como en el mes de mayo las tomateras no están en plena producción y no hace un exceso de calor (3-4 mm de transpiración + evaporación), podríamos reducir el primer riego a 30 minutos y, en días de lluvia, suprimirlo.

La recolección

La recolección es el mejor momento de todo el proceso. Es un placer y una satisfacción recoger los frutos de la naturaleza que, en parte, son tuyos. Llena de sentido una acción nada banal que es la de cuidarnos y alimentarnos. Invitar a comer a la familia ofreciendo una parte de estos frutos recompensa el trabajo en el huerto.

Cada hortaliza se recoge en su momento. En algunos casos supone arrancar toda la mata, y en otros dejarla para que produzca semillas para plantar la próxima temporada; en el caso de otras plantas, no obstante, supone ir recogiendo de forma continuada, como los tomates.

Una cesta, una azada o escardillo y un cuchillo son suficientes para recoger. Los tomates, los pimientos, las manzanas, las fresas, las moras, las frambuesas y las cerezas se recogen del árbol o del suelo. La berenjena, el calabacín, la col, la coliflor, los guisantes, la lechuga, el melón, el pimiento y la calabaza se cortan con la ayuda de un cuchillo. Las espinacas y las acelgas se pueden recoger hoja a hoja a medida que van creciendo. En el caso de las zanahorias, las patatas, las cebollas o los ajos cabe señalar que se deben arrancar de raíz. El verano es el momento álgido del huerto. Llega el momento de máxima producción y recolección: cerezas, tomates, lechugas, calabacines, pepinos, pimientos, berenjenas, zanahorias, perejil, albahaca, orégano, menta, estragón, salvia, judías verdes, ciruelas, manzanas, peras, melocotones, albaricoques, cebollas, ajos, patatas, rúcula, melones y sandías, calabazas. En pleno verano, se debe revisar el huerto a menudo; en dos o tres días, un calabacín crece en exceso. Con los tomates ocurre lo mismo. Para aquellos que no puedan visitar el huerto de manera regular, al menos cada cinco días se debería proceder al repaso y la recolección de calabacines, tomates, judías, pimientos o berenjenas. Con un pequeño secadero solar se pueden conservar los vegetales y los frutos secos cortados en rodajas y posteriormente conservados en recipientes herméticos para que no absorban la humedad ambiental y se estropeen. Para comerlos basta con rehidratarlos en el momento de la preparación. Se pueden congelar o fermentar (chucrut). Los ajos, las cebollas o los tomates colgados se conservan hasta el invierno, siempre que se revisen de manera periódica.

En verano se recomienda recolectar a primera hora de la mañana, aunque quizás la única posibilidad sea al final de la tarde. En otoño se recogen manzanas, nueces, avellanas, almendras, higos, lechugas, cebollas, acelgas y, si es un año de bonanza, calabacines, fresas, frambuesas, moras, o tomates hasta noviembre. El invierno-primavera se recogen las patatas, las coles, la coliflor, el brócoli, las espinacas, las acelgas, los guisantes, las habas, la rúcula, la flor de la violeta, la escarola, la remolacha, los puerros y las zanahorias.

Plantar un huerto en macetas

En este apartado se va a exponer la posibilidad de plantar en recipientes para todos aquellos que no disponen de un trocito de tierra. Esta opción también puede ser un complemento para los que solo tienen un rincón en el jardín o en el patio. Los recipientes se pueden ubicar en balcones y terrazas, donde será preciso controlar la exposición solar. Un huerto en casa puede ser una posibilidad de producir nuestros propios alimentos, pero también se convierte en una actividad sumamente relajante.

Es posible construir un recipiente, aunque también se pueden comprar macetas o jardineras grandes o mesas de cultivo. Pueden ser de barro, de madera protegida o de acero, pero hay que evitar el plástico, ya que las raíces se recalientan mucho en verano.

En un recipiente se puede plantar cualquier hortaliza, aunque un factor fundamental y limitante es la medida del mismo. Se recomienda una profundidad de unos 70 cm y, a ser posible, más de 1 m² de superficie, por donde puedan extenderse las raíces. Estos recipientes deben disponer de algún orificio en la parte inferior para que drene bien el agua, que puede recogerse en cubos y reutilizarse. Cuanta mayor altura tenga el recipiente (80-90 cm), más cómodo será para trabajar. Debe situarse en un lugar soleado y próximo al agua de riego. Regar implica mucho tiempo y, en verano, es algo que debe hacerse casi cada día. Para poderte ausentar sin problemas, lo ideal es instalar un gota a gota junto a un programador automático en uno de los grifos próximos al recipiente, aunque es preferible aprovechar el agua de lluvia.

El sustrato recomendado es una mezcla de tierra de exterior (60-70 %), fibra de coco (5-10 %), o perlita o arena (10 %), vermiculita y humus o compost (20-30 %) como fuente de materia orgánica. La mezcla final debe ser esponjosa. En unos 4 meses, los nutrientes se agotan y es preciso repostar. Si se compostan los restos orgánicos, es posible añadirlos al sustrato como fertilizante (1 cm³/litro de tiesto 2 veces al año, incluso 10 kg por m² de tierra). Lo ideal es el vermicompost con gusanos. La cantidad que se debe añadir depende de la calidad del compost, de la cantidad de tierra y de la densidad de vegetales que plantes, pero para simplificar se puede añadir compost o humus en la proporción que recomiende el fabricante, y si se trata de vermicompost casero, unos 2,5 kg por m² de tierra cada 4 meses. No es tan sencillo fertilizar, ya que es tan negativo que falten nutrientes como que sobren, igual que el agua (riego). Hay que alcanzar un equilibrio entre un buen sustrato poroso y abonado. Es recomendable anotar en la libreta de campo las fechas de abono, el tipo y las cantidades para tener cierto control. La observación de los vegetales y los colores de las hojas también va a proporcionar una aproximación a su estado nutricional. Faltan nutrientes cuando las hojas tienen las puntas secas, los márgenes morados o manchas de color verde-amarillo.

La radiación solar no es igual todo el año en la latitud que nos encontramos. Las estaciones del año condicionan la inclinación del sol y las horas de luz. La luz y la energía solar afectan a la fotosíntesis. Lo ideal es que los recipientes se encuentren en lugares soleados de la casa, y que reciban como mínimo unas 4 horas de luz directa en verano, aunque algunas plantas soportan más o menos la sombra. Si el verano es muy caluroso, es posible proteger los recipientes con una sombrilla o con una tela sombreadora.

No hay que añadir un exceso de sustrato en las jardineras. Hay que dejar espacio para plantar y para que el agua de riego no se pierda.

El tiempo que transcurre entre la plantación o la siembra y la recolección puede variar bastante en función de la hortaliza que se plante, así como de los factores climáticos. Oscila desde los 80 días de una lechuga hasta los 130 de una berenjena.

Son pocas las semillas que se requieren para cultivar en recipientes. Hay que intentar obtenerlas del propio cultivo. Tras secarlas y conservarlas etiquetadas con la variedad, la fecha y el origen, se deben conservar en un lugar seco, fresco y protegidas de la luz. Hay semillas que no son viables más que durante un año, como la cebolla, aunque la mayoría supera los tres años e incluso los cinco. Siempre se puede acabar haciendo una pequeña prueba de germinación antes de plantar para comprobar su estado (consulta apartado de siembra).

Se puede sembrar de manera directa o hacer plantel para trasplantar en el recipiente. Si se tiene quien suministre plantel de calidad con la variedad que interesa se avanzará en el cultivo. Es preferible sembrar algunas hortalizas de manera directa identificando en el recipiente dónde se han plantado. Lo ideal es añadir 2 o 3 semillas en cada punto por si alguna falla en la germinación. Hay que respetar la profundidad de siembra, que suele situarse alrededor de una a dos veces el diámetro de la semilla. Es preciso humedecer permanentemente la tierra y esperar a que alcance la temperatura adecuada para la germinación. Se trasplanta cuando se observan numerosas raíces y se respetan las distancias calculando la medida del individuo adulto.

Un recipiente es un espacio limitado. El tamaño condiciona lo que se planta y lo que se obtiene. Pero si se combinan varias hortalizas al mismo tiempo se

aprovecha mejor el espacio, asociando las mayores con las de tamaño reducido, las que tienen una parte aérea de gran diámetro con aquellas de las cuales interesa la raíz. El parámetro que se debe controlar más es que no se tapen el sol las unas a las otras y que no estén demasiado juntas. Otro factor que debe tenerse en cuenta es combinar plantas de ciclo corto (30 días del rábano o rúcula) y de ciclo largo (60 o más días). Una tabla diversa será menos susceptible al ataque de plagas. Se pueden asociar lechugas, calabacines y rúcula; también lechuga, ajos, cebollas, zanahorias y tomates; a su vez, combinan bien el ajo, la cebolla, el apio y el tomate; y la lechuga, las judías, los guisantes y los calabacines; los tomates, el rábano, la cebolla, el pepino y la zanahoria; y, en otoño, las habas, los nabos y la escarola; la cebolla, la acelga, la lechuga, la col y los puerros.

Cómo proteger las hortalizas de las heladas

Aunque el frío puede hacer estragos con determinados vegetales (tomates, berenjenas, pimientos o pepinos), es un agente sumamente beneficioso para el huerto. Los insectos y las plagas de las hortalizas dejan de crecer o desaparecen con las bajas temperaturas. Así que antes de crear un huerto, escoge las especies y las variedades que se adapten a las temperaturas mínimas que se pueden alcanzar en tu zona, la frecuencia con que aparecen, y los grados bajo cero que alcanza.

Hay años fríos y años más templados. Lo que un invierno se puede considerar cotidiano y tener temperaturas bajo cero desde octubre a febrero o marzo, otro año se puede convertir en ocasional y helar solo 15 o 20 días en todo el invierno. Cuando baja la temperatura, primero se congela la humedad del aire, luego el agua de las capas superiores del suelo y, finalmente, el agua de los vegetales, lo cual puede producir su muerte. Hasta aquí tendríamos la climatología habitual de los inviernos fríos. Otro hecho que puede ocurrir son fenómenos aislados, como heladas fuera de temporada o muy por debajo de la media. La peor época es en primavera, con una helada tardía. Aunque una helada temprana también puede coger desprevenidas a las plantas.

Mirar al cielo puede ser un indicador de lo que puede suceder: lluvia, heladas, viento, etcétera. Las noches estrelladas y sin nubes son el momento del día más propicio para las heladas. La inversión térmica nos puede sorprender. Los vientos fríos del norte pueden hacer que desciendan mucho las temperaturas. Los valles o lugares profundos pueden ser un peligro, ya que el aire frío no encuentra salida. De todos modos, cada vez las previsiones meteorológicas son más acertadas, lo que permite evitar que mueran las hortalizas.

Una posibilidad de protección es un sistema de aspersión con agua o estufas. Sin embargo, no es demasiado sostenible y resulta caro. Otra opción es utilizar un invernadero (de invierno).

Si ha nevado, esta es la mejor protección. No se bajará a más de -0 °C.

Para un momento puntual se pueden proteger las hortalizas con paja, con papel de periódico, con una manta térmica o un plástico sujeto con piedras para que no se lo lleve el viento. Va a permitir que ascienda varios grados la temperatura. Si nos interesa una mayor protección durante un mayor periodo de tiempo, se pueden colocar unos semicírculos de medio metro de altura, clavados en el suelo, con un plástico atado a estos. Este túnel de plástico transparente debe estar orientado al sur para que no sufra las corrientes de aire. Aunque si la temperatura baja varios grados, lo hará también en el interior. En otros casos se puede recurrir a preparar una protección de doble capa con paja a modo de una ventana con doble protección. También se pueden aprovechar puertas y ventanas antiguas que conserven los cristales para crear un prototipo de invernadero casero cubriendo parterres. En ese caso se deberá establecer un ligero gota a gota por si fuera necesario.

Plantar mirando al sur al lado de un muro puede ser un factor crucial hasta el punto de que permite que una especie viva o no en un lugar más frío de lo que podría resistir. Si este muro es de color oscuro aún acumula más energía solar, que se libera poco a poco. En lugar de un muro se puede plantar un seto con arbustos o árboles perennes para proteger contra los vientos fríos del norte.

Otra opción es plantar bajo un árbol o un porche, que protege de las bajas temperaturas; puede hacerse en caballones con una ligera pendiente orientada hacia el sur.

Cada vegetal se puede cubrir también de manera individual con una campana de plástico o de vidrio. Otra opción es cortar por la mitad una botella de agua y utilizarla para cubrir la planta. Unas ramas podadas o unas cañas colocadas encima también pueden servir como medio de protección. Podemos optar por unas planchas de plástico o una capa de paja, que se fijará con plástico o malla. Y siempre, en las plantas menos resistentes, hay que acolchar bien la raíz para asegurarnos de que vuelvan a rebrotar.

Cómo combatir las enfermedades y los insectos

Un huerto, aunque no crezca de manera espontánea, es un pequeño ecosistema donde se debe lograr un equilibrio ecológico dinámico con el entorno. Contiene una gran variedad de vegetales, pero también animales y microorganismos, todos ellos con unas determinadas interrelaciones. Muchos de estos seres vivos son beneficiosos para el sistema, como los microorganismos del suelo que ayudan a descomponer la materia orgánica, aunque otros pueden atacar a los vegetales, quizás sencillamente porque se alimentan de estos. Las enfermedades suelen estar producidas por microorganismos difíciles de ver a simple vista. Hongos y bacterias provocan unos síntomas determinados, como podredumbre, reblandecimientos, hojas secas, polvos blanquecinos, o manchas. Las plagas suelen producirse por insectos, que habitualmente son más visibles.

La complejidad del sistema se manifiesta en los desequilibrios entre la planta y el medio ambiente. Hay que ser consciente de que un cambio de temperatura o la falta o la irregularidad en el riego van a afectar a la floración de un cultivo y a sus frutos. Un aumento de humedad debido a la lluvia, un exceso de riego o una elevada densidad de plantación son factores que favorecen la aparición de hongos. Los invernaderos o cubiertas protectoras complican el problema de la humedad y, por ello, la ventilación es fundamental. Si una planta está bien alimentada y regada va a ser más resistente al ataque de una enfermedad o una plaga. Es posible añadir preparados fortificantes como el fermento de ortiga, consuelda, bardana o caléndula. Normalmente, una plaga o enfermedad es específica de una especie, por tanto, cuanta mayor biodiversidad haya en el huerto, ya sea en el campo o en un recipiente, más beneficiosa será para la protección de los cultivos. Por ejemplo, asociar cebollas y zanahorias es satisfactorio para la segunda. Es interesante asociar en una misma hilera ajos, lechugas, puerros, o también cebolla, tomate, lechuga, rábano.

Uno de los planteamientos más sabios es que las plagas estén equilibradas y bajo control. Ciertas acciones favorecen la salud de los vegetales de un huerto. La diversidad, las asociaciones y las rotaciones de cultivos despistan a los insectos y a los microorganismos. Es muy aconsejable destruir los restos vegetales, sobre todo de plantas enfermas.

Un huerto en casa no tiene por objeto principal la producción. En cambio, el sabor de la cosecha recién cogida tiene un valor excepcional. Otro es el control que hay que tener en todo el proceso de cultivo, la materia orgánica que se aporta (compost) o qué

tratamientos se usan para la salud de las hortalizas. Es preferible eliminar manualmente las hojas o las plantas enfermas, aunque también se pueden colocar trampas ligeramente apartadas de las plantas para que atraigan o ahuyenten las plagas, con feromonas, o cebos, CD colgados, refugios, adhesivos, etcétera.

Hay que evitar tratar el huerto, pues con ello se destruye el preciado equilibrio natural. Ante todo hay que valorar el origen; pregúntate por qué las plantas están enfermas y las pérdidas que supone esa plaga, y escoge la opción de menor impacto, la manual (arranca y destruye hojas infestadas o elimina orugas, caracoles o babosas). A veces se puede tratar mediante control biológico liberando insectos o bacterias beneficiosas o utilizando preparados vegetales muy sencillos que refuercen la resistencia de las plantas, inhiban el desarrollo de los parásitos o actúen como insecticidas. Las plantas aromáticas tienen propiedades repelentes contra los insectos y, por tanto, intercalarlas en los cultivos va a ser muy positivo. La menta poleo ahuyenta las hormigas y el aneto, y la salvia atrae a insectos beneficiosos; el cebollino, por su parte, repele los pulgones. La draba ahuyenta la mosca blanca de las coles y brócolis, las hormigas de las judías, el pulgón del manzano, y atrae la mosca negra de los tomates.

Se pueden destacar ciertas plantas con propiedades plaguicidas: adelfa, ajo, albahaca, manzanilla, milenrama, ortiga, ruda, saúco o tanaceto. La ajedrea, la albahaca, el ajo, el enebro, la lavanda, el hinojo, el lúpulo, el poleo, el romero, la salvia, el tomillo, el ajenjo, la capuchina, la ruda, la melisa, la menta, la cola de caballo, el pelitre, el ruibarbo, la saponaria y el tanaceto repelen a los insectos. Biocidas son la

caléndula, el eucalipto, el anís verde, el hipérico, la albahaca, la petunia o la ortiga. Fungicidas son el ajenjo, el ajo, la bardana, la capuchina, la cola de caballo, el rábano, la salvia, el saúco y el tanaceto. Y plantas que favorecen a otros vegetales son la consuelda, la milenrama, la ortiga, el diente de león, la valeriana, la bardana, la manzanilla y la caléndula.

Tratamientos con extractos fermentados de hierbas

Se preparan con agua de lluvia (15-25 °C / pH > 5). Se necesita un recipiente de plástico, de mayor altura que anchura, de 15 litros para obtener 10 litros (mejor de 30 l), con tapa o un saco.

El mejor lugar para prepararlo es en el sótano o en un garaje oscuro.

Llena ¾ partes con hierba fresca cortada: 80-100 g fresca/1 litro, o 10 g seca/1 litro.

Hay que prepararlo entre Luna nueva y media luna.

No se aconseja mezclar extractos antes de prepararlos de manera individual.

Remueve 1 vez al día durante unos minutos.

Añade hojas de salvia, ya que reduce los olores.

Se debe dejar reposar unos 15 días aproximadamente, dependiendo de la temperatura ambiental (5-30 días).

Cuando ya no salgan burbujas, habrá acabado la fermentación.

Filtra bien y consérvalo en una botella de 5 litros bien cerrada, a 12 °C, en un lugar oscuro, etiquetado, durante un máximo de un año. Después de abrir la botella se conservará un máximo de 2 meses.

Los preparados se aplican regando (diluido al 20 %) o pulverizando en las hojas (diluido al 10 %). Por la mañana, se debe abonar y por la tarde es útil para luchar contra los insectos.

Hay que aplicarlo con temperaturas superiores a 13 °C y después de llover; en caso de sequía, se debe regar el día antes de proceder con el tratamiento.

En general, el efecto del extracto es breve. Se recomienda aplicar periódicamente, al menos mientras dure la plaga, cada 10-12 días.

Otros trucos de control

En el caso de insectos en general (orugas, mariposas) se puede emplear una infusión diluida de tanaceto.

Las hormigas son animalillos que sirven de protección contra los pulgones o la mosca blanca, que también se pueden controlar esparciendo posos de café o tratando con una infusión a base de espliego. Como las hormigas transportan los pulgones, tan solo basta con seguirlas para hallarlos. Si adviertes que aparecen hormigas alrededor de las macetas, una solución es el limón. Es suficiente con frotar el borde de los tiestos. En el caso de las hormigas, es eficaz una planta de menta poleo.

Las orugas y los caracoles suelen deambular por el huerto de hoja en hoja para comérselas, sobre todo si hay humedad. Lo ideal es observar las hojas y eliminarlos manualmente.

Los caracoles y las babosas sienten repulsión por el serrín o las cenizas alrededor de los vegetales. Con el poso de café se puede preparar un riego (25 gramos por cada litro de agua, y diluirlo al 10 %). Otra opción es enterrar, con la ayuda de los dedos, unos cuantos recipientes que contengan una mezcla de agua y cerveza. Estos animalillos caerán en su interior. Otra solución es repartir por el huerto tejas o ladrillos, ya que se trata de un escondite muy preciado para los caracoles.

Los pulgones se alimentan de la sabia de partes tiernas de los vegetales. Con la ayuda de un cepillo se pueden eliminar. Si la plaga es importante puedes aplicar rotenona, neem, agua fría, jabón potásico al 2 %,

ajo, alcachofa u ortiga verde. Asimismo, el serrín esparcido por la tierra es bastante eficaz. Si se siembra un diente de ajo en una maceta o al pie de una planta, se evitará que sea devorada por los pulgones. En el caso de la araña roja, retira las hojas afectadas o todo el vegetal, si la plaga es importante. En caso contrario, prueba con los acolchados, con aceite esencial de anís verde, de cilantro o de neem (al 2 %). La mosca blanca se halla en el envés de las hojas de los pimientos, las berenjenas, la col, el pepino o el tomate. Se puede tratar con ajo, ortiga, ajedrea, y agua jabonosa y arcilla.

Nunca elimines a las mariquitas, ya que combaten los pulgones, o a la mantis religiosa, ya que se alimenta de insectos.

El oídio, que afecta a los calabacines, las calabazas, el melón, la sandía o las coles, se detecta por el polvo blanquecino que aparece sobre las hojas. Es un hongo al que le gusta la humedad y el clima templado. Elimina las hojas con oídio y trata la planta con azufre, ajo o cola de caballo, con 100 ml de leche por litro de agua, así como con suero de leche y ácido láctico.

El mildiu, que ataca a tomates, patatas y vid, se trata con cola de caballo o ajo. Los frutales pueden rociarse en otoño con ácido láctico (fungicida). Como los hongos no pueden desarrollarse en un pH ácido, cepilla el tronco del árbol y píntalo con suero de leche mezclado con arcilla.

En el caso de ratones y topos, puedes emplear fenogreco (la semilla seca o la infusión, que se vierte en los agujeros, o bien polvo de semilla alrededor de los cultivos).

La albahaca beneficia la salud del huerto por su capacidad de repeler insectos y pulgones.

Los momentos clave para observar las plagas del huerto son a primera hora de la mañana y a última de la tarde, momentos en los que podremos detectar a caracoles y babosas. Y durante el día es fácil advertir la presencia de pulgones, orugas y arañas.

Rotaciones de cultivos

Conviene tener biodiversidad en el huerto, asociar determinadas especies y cultivar a partir de unas rotaciones por familias de hortícolas, introduciendo leguminosas (judías, guisantes, habas, soja, garbanzos, lentejas) y abono en verde. A mayor diversidad, menor rotación. Se recomienda rotar especies, ya que en el suelo pueden persistir insectos y microorganismos propios de ese vegetal. Bajo esta premisa, es preferible esperar unos cuatro años a volver a plantar lo mismo en el mismo lugar. Se pueden alternar plantas exigentes en abono con otras menos exigentes.

En las zonas marcadas como a, b, c y d, podéis plantar en verano, y en invierno A, B, C y D. Inicia la rotación de hortícolas por zonas y épocas.

Haz tus propios esquemas en tablas parecidas a las siguientes:

Verano

a	b	c	d
PEPINO	AJO	PATATAS	TOMATES
CALABAZA	LECHUGA	CALÉNDULA	ALBAHACA
CALABACÍN	PERIFOLLO	CLAVELES	PEREJIL
MELÓN	CEBOLLA	TOMILLO	BERENJENAS
SANDÍA	ZANAHORIA		PIMIENTOS
	RÁBANO		APIO
	JUDÍA		

Invierno

A	B	C	D
COL	ESCAROLA	HABA	ABONO EN VERDE
APIO	PUERRO	ESPINACA	
COLIFLOR	CEBOLLA	RÁBANO	
BRÓCOLI	AJO	GUISANTE	
ROMERO	REMOLACHA	ZANAHORIA	
NABO	SALVIA	ACELGA	
RÁBANO			

AÑO 1- Verano

a	b	c	d

AÑO 1- Invierno

A	B	C	D

AÑO 2- Verano

b	c	d	a

AÑO 2- Invierno

B	C	D	A

AÑO 3- Verano

c	d	a	b

AÑO 3- Invierno

C	D	A	B

AÑO 4- Verano

d	a	b	c

AÑO 4- Invierno

D	A	B	C

Asociaciones beneficiosas

- Albahaca-tomate, pimiento
- Ajedrea-judías, cebollas
- Ajo-zanahoria, pepino, cebolla, tomate
- Apio-espinaca, puerro, guisante, judía, col
- Berenjena-rábano, zanahoria
- Borraja-fresas, calabacines
- Calabacín-judía, cebolla
- Cebolla-zanahoria, pepino
- Cebolla y fresas-puerro
- Cebolla y puerro-zanahoria
- Cebollino-zanahorias, rosas
- Lechuga, apio, cebolla, guisante, tomate
- Eneldo-col, remolacha
- Estragón-diferentes verduras
- Fresas, pimientos
- Guisante-Espinaca, nabos, zanahoria
- Habas-espinaca, lechuga
- Judía-berenjena, calabaza
- Lechuga-judías, tomates, guisantes, espinacas
- Manzanilla-menta piperita
- Menta-col, tomates
- Pepino-apio, col, espinaca
- Perejil-espárragos, maíz, tomates
- Remolacha-cebolla, judía
- Romero-zanahorias, col, judías
- Salvia-col, zanahoria, fresa, tomate, vid
- Tomillo-berenjena, col, patata, tomate
- Tomate-apio
- Zanahoria, tomate, judía, salvia
- Zanahoria-puerro

Asociaciones incompatibles

- Tomates-hinojo, pepino, patata, judías
- Ruda y coles
- Col, judías
- Guisantes–ajos
- Patatas-romero, menta o manzanilla
- Ruda-salvia
- Col-coliflor, brócoli, coles, habas
- Patata-berenjena, cebolla, pepino
- Pepino-nabo
- Apio-zanahoria
- Calabacín-pepino
- Cebolla-judía, guisante
- Col-puerros, fresas, pimientos
- Espinacas-remolacha, acelgas
- Habas-cebolla, ajo
- Judías-acelgas
- Guisante-judía, tomate, puerro
- Remolacha-espinacas

hortalizas

legumbres

arbustos

frutos

recetas

hierbas aromáticas

árboles

manualidades

frutales

tubérculos

licores

bayas

berenjena jaspeada

planta huevo

Frutos

La berenjena es una baya de color negro violáceo, brillante, oblonga-alargada y curvada, que puede alcanzar un tamaño de 5 a 30 centímetros. Aunque las diversas variedades tienen unos frutos de formas, tamaños y colores muy diversos. Se pueden comer cuando están maduros. Una característica especial y graciosa del fruto es cómo el cáliz rodea una tercera parte del fruto como si se tratara de un gorro.

Hojas →

Las hojas simples presentan una forma ovalada, de margen entero, ligeramente pubescentes y lobadas.

Flores →

Las flores son preciosas, pues muestran una corola violeta o púrpurea de casi 3 centímetros de diámetro. Florece de junio a agosto.

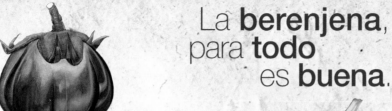

La **berenjena**,
para **todo**
es **buena**.

DICE EL REFRANERO

berenjena redondeada

berenjena negra

La berenjena (*Solanum melongena* L.)
es una planta ramificada más o menos
espinosa, que pertenece a la familia de
las Solanáceas. Originaria de Asia, los
árabes la introdujeron en la Península .
Al ser plurianual, crece y fructifica varios
años seguidos en lugares calurosos. En
los climas templados suele comportarse
como una anual. Las variedades de
berenjena se clasifican según la forma
y el color del fruto. Las hay con el
fruto más redondeado (violeta de
Nueva York, de Almagro), ovoide
(jaspeada de Gandía, mission
bell, belleza negra, blacknite,
bonica, florida market)
o alargado (larga
negra, larga morada,
violeta de Barbentane,
croisette), y de color negro,
pero también blanco (planta
huevo, ovoide o mohican, más
alargada), amarillo o violeta a rayas
(de Gandía, más esférica). También se
encuentran otras variedades, como cristal,
slim jim (frutos pequeños esféricos de color violeta)
o piccola (violeta y del tamaño de un fresón).

berenjena

cat**alberginia** · eusk**alberjinia** · gall**berenxena**

Las berenjenas en tu huerto

Existen múltiples variedades de berenjena. Elegiremos la que más nos guste en función de nuestro paladar. Todas ellas se parecen mucho a la hora de cultivarlas y, además, tienen un ciclo vegetativo similar.

Siembra

Las semillas de berenjena tienen un poder de germinación que puede durar hasta 5 años. Conviene sembrarlas en febrero en los climas templados y de marzo a abril en los climas fríos. Las sembraremos en un semillero protegido, con una tierra orgánica de calidad; en este sentido, el compost es ideal. Si disponemos de bandejas de siembra, sembraremos de 2 a 3 semillas por taco, aunque también podemos hacerlo directamente en una maceta, siempre y cuando sea muy pequeña. Germinan en unos 10 días. Si seguimos el calendario lunar, debemos proceder 2 días antes de la Luna llena y en Luna creciente.

Trasplante

Dependiendo de las condiciones climáticas y de la cantidad que queramos sembrar, podemos trasplantar en fases o directamente al suelo. Si tenemos las plántulas en bandejas de siembra, es posible pasarlas a macetas cuando estas alcancen una altura de unos 12 cm. Para hacer el trasplante definitivo, es conveniente que las plántulas tengan entre 5 y 10 hojas. En el suelo definitivo, se procederá a finales de mayo en los climas templados o a principios de verano en los climas más fríos. Prepararemos la tierra bien mullida y plantaremos las plántulas a unos 40 cm de distancia entre ellas y a unos 60 cm entre hileras. Podemos proteger las plántulas añadiendo paja a su alrededor.

Cultivo

La berenjena es una planta que precisa calor, por lo que es importante mantener la tierra bien mullida y el sistema radicular perfectamente ventilado. Podemos escardar la tierra con regularidad, para limpiarla de hierbas competitivas, así como para ventilar las raíces.

Como necesita abundante riego, es preferible crear un sistema por goteo para dosificar mejor el agua. En pleno verano, se regará una vez al día y se evitará que la tierra se seque. Con el fin de conservar mejor la humedad, se puede cubrir el suelo con paja.

Es una planta muy exigente, lo que obligará a realizar una buena aportación de compost alrededor de 10 kg/m², y cuando empiecen a cuajar los primeros frutos, se recomienda añadir más. También necesita abundante fósforo para potenciar el crecimiento de las raíces y la maduración de los frutos.

Para mantener una buena salud del suelo es importantísimo hacer bien las rotaciones de cultivo, por lo que es ideal realizar rotaciones de 4 años, es decir, en el lugar donde hemos plantado las berenjenas no plantaremos más hasta que transcurran 4 años, y es interesante que en su lugar pongamos plantas menos exigentes para fortalecer el suelo, como podrían ser las de la familia de las leguminosas, por ejemplo, judías o habas. A medida que la planta vaya creciendo, podemos ir retirando los chupones que vayan apareciendo en las axilas de las hojas. Aunque esta operación no sea necesaria, puede fortalecer el crecimiento de los frutos. Es interesante mantener de 6 a 10 flores por planta, ya que de este modo obtendremos frutos más grandes y homogéneos.

Para que los frutos maduren bien necesitamos unas temperaturas diurnas de entre 25 y 35 °C y unas nocturnas entre 20 y 27 °C.

Cuidado

Para que las plantas estén sanas es imprescindible disponer de un suelo sano y equilibrado y mantener una alta biodiversidad en el huerto. Evitaremos carencias de nutrientes y el control de plagas será más efectivo.

Cuantos más habitantes haya en el huerto, mejor se mantendrá el control y el equilibrio. Una buena forma de conservar el equilibrio consiste en realizar asociaciones de cultivo. En el caso de las berenjenas, se puede plantar judías lo más cerca posible, ya que son dos plantas que se ayudan y que permite el control de plagas. Evitaremos plantar patatas junto a ellas, pues son de la misma familia, y

al encontrarse juntas pueden propiciar el desarrollo de parásitos y plagas no deseables.

La prevención es la mejor arma para controlar los posibles riesgos. Asimismo, la pulverización de las plantas con purín de ortiga antes de la fructificación es una buena manera de aportar vitalidad foliar y fortalecer el crecimiento vegetativo de las mismas, de modo que crezcan más fuertes y sean menos vulnerables.

Una de las plagas más típicas de las berenjenas y de todas las solanáceas en general es el escarabajo de la patata. La plaga es fácil de detectar, si observamos huevos de color amarillo anaranjado en el envés de las hojas. Las larvas del escarabajo de la patata pueden hacer mucho daño, ya que pueden arrasar las hojas en muy poco tiempo. Si hay pocos, es posible eliminarlos de forma manual, pero si la plaga ya está instalada, es aconsejable tratar las plantas con pelitre o con *Bacillus thuringiensis,* que son insecticidas orgánicos muy eficaces para la eliminación de escarabajos y larvas. Tenemos que ser conscientes de que también se eliminan insectos beneficiosos, como pueden ser las mariquitas.

Recolección

Podemos empezar la recolección a medida que los frutos vayan madurando, lo que acostumbra a suceder entre 2 y 3 meses después de trasplantar. Las berenjenas maduras adquieren un color azul violáceo muy intenso.

Las cortaremos de forma limpia con la ayuda de un cuchillo, ya que si las arrancamos se puede favorecer la podredumbre de la herida en el tallo. Si queremos obtener semillas, dejaremos sobremadurar alguno de los frutos, que más tarde se pueden dejar secar al sol para después extraer sus simientes.

La berenjena es una hortaliza con un alto contenido en agua, por lo que resulta poco calórica e ideal para incluir en dietas de adelgazamiento. Ayuda a controlar el nivel de colesterol en sangre, hecho que contribuye a prevenir las enfermedades cardiovasculares. Tiene propiedades diuréticas y laxantes, y su fibra ayuda a regular el tránsito intestinal. También es rica en minerales como el potasio. Su consumo ayuda a estimular la actividad del hígado, el páncreas y los riñones.

Strudel de **berenjenas**

Para 4 personas
Preparación: 40 minutos + reposo
Cocción: 50 minutos

Ingredientes

* 1 lámina de masa de hojaldre fresca o congelada
* 2 berenjenas
* 1 cebolla pequeña
* 1 pimiento rojo
* 2 cucharadas de pan rallado
* 2 cucharadas de queso parmesano rallado
* 1 cucharada de piñones
* 5 cucharadas de aceite de oliva
* sal

Preparación

1. Lava las berenjenas y el pimiento y córtalos en dados más bien pequeños. Pica fina la cebolla y sofríela en una sartén antiadherente con 4 cucharadas de aceite de oliva hasta que esté transparente. Añade los daditos de berenjena y pimiento rojo. Sazona con una pizca de sal, tapa la cazuela y deja cocer a fuego muy lento durante 20 minutos.

2. Si las verduras tienen mucha agua una vez cocidas, déjalas escurrir unos minutos. Después, mézclalas en un cuenco con el pan rallado, el queso parmesano y los piñones.

3. Desenrolla la masa de hojaldre y extiéndela bien fina con el rodillo sobre la superficie de trabajo enharinada. Dispón en el centro la preparación de verduras y enrolla la masa sobre sí misma. Humedece los bordes y los extremos y séllalos bien.

4. Dispón el strudel sobre una placa untada con el aceite restante e introdúcelo en el horno precalentado a 200 °C. Hornea unos 30 minutos, hasta que la pasta quede crujiente y dorada. Sírvelo tibio o frío.

Para evitar que las berenjenas amarguen, córtalas por la mitad, espolvoréalas con abundante sal y colócalas en un colador durante 1 hora para que expulsen el amargor. Luego, lávalas bien y sécalas con un paño limpio.

Ingredientes

* 100 g de aceitunas negras
* 2 berenjenas medianas
* 1 cebolla
* 1/2 pimiento rojo
* 1 diente de ajo
* 1,5 cucharada sopera de aceite de oliva
* 1 cucharadita de café de vinagre de vino
* sal
* pimienta recién molida

Sofrito de aceitunas negras y berenjenas

Para 4 personas
Preparación: 20 minutos
Cocción: 25 minutos

Preparación

1. Pela las berenjenas, lávalas y córtalas en dados.
2. Deshuesa las aceitunas y pícalas con un cuchillo. Pela la cebolla y pícala bien fina.
3. Lava el pimiento, quítale las semillas y los hilos y corta la pulpa en tiras muy finas. Pela el diente de ajo, córtalo por la mitad y retira el germen.
4. En una sartén, calienta el aceite de oliva a fuego lento, agrega la cebolla, el pimiento y el ajo picado y sofríelos durante unos 10 minutos. Remueve constantemente con una cuchara de madera.
5. Incorpora la berenjena en dados y déjala cocer a fuego medio durante unos 10 minutos más, sin dejar de remover para que no se pegue. Añade las aceitunas picadas y el vinagre de vino, mezcla bien y déjalo cocer 5 minutos más.
6. Prueba el sofrito, rectifica la sazón y retíralo del fuego. Viértelo en una fuente. Puedes servirlo como primer plato o para acompañar una parrillada, carne al horno o pescado salteado.

Crêpes con pisto

Para 6 crêpes
Preparación: 30 minutos
Reposo: 2 horas
Cocción: 50 minutos

Ingredientes

* 500 g de masa para crêpes
* 4 tomates maduros
* 2 cebollas
* 2 calabacines
* 1 pimiento verde
* 1 pimiento rojo
* 1 berenjena
* 1 cucharada sopera de aceite de oliva
* 1 cucharadita de café de azúcar
* sal

Preparación

1. Prepara la masa de las crêpes. En los supermercados puedes encontrar preparados con la masa ya lista.
2. Escalda los tomates, pélalos, córtalos en dados pequeños y resérvalos.
3. Pela las cebollas, córtalas en juliana y sofríelas en una sartén con el aceite de oliva. Pela los calabacines, limpia los pimientos y la berenjena y córtalo todo en dados más grandes que el tomate.
4. Añade los pimientos a la cebolla y déjalo cocer 5 minutos. Incorpora los calabacines, cuece 2 minutos y añade el tomate. Deja cocinar el pisto durante 15 minutos, hasta que se reduzca el tomate. Agrega el azúcar y la sal, y deja hervir 2 minutos más. Resérvalo.
5. Engrasa una sartén caliente con un pincel de cocina, vierte 1/2 cazo de la masa para crêpes en la sartén y extiéndela de forma uniforme. Cuando la crêpe cuaje, dale la vuelta y cuécela por el otro lado.
6. Extiende las crêpes, añade una buena cucharada de pisto y dóblalas por la mitad. Adórnalas con un poco de pisto por encima. Sírvelas calientes.

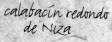
calabacín redondo
de Niza

calabacín verde
de huerto

← Frutos

Los frutos tienen forma alargada, de tamaño muy diverso. Habitualmente son verdes, aunque alguna variedad es amarilla, e incluso blanca en el exterior. La pulpa es de color blanco amarillento dependiendo de la especie y la variedad. Se suelen comer cuando son jóvenes, y se recolectan durante todo el verano. Una mata puede producir calabacines para toda la familia.

minicalabacín
con flor

Hojas →

Las hojas tienen la forma de una mano. Son lobuladas, grandes y atractivas, dentadas, con un largo peciolo y peludas.

← Flores

Es monoica; así, en una mata encontramos flores masculinas, que es preferible comer, y, separadas, las flores femeninas, que muestran un engrosamiento en su base, donde aparecerá el fruto. Florece de junio a octubre si el clima es cálido. Las flores amarillas tienen forma de trompeta.

calabacín

Mucha **agua**
a mano,
huerto **lozano**.

DICE EL REFRANERO

El calabacín (*Cucurbita pepo* L.) es
una planta anual de la familia de
las Curcubitáceas. Es híspida, es
decir, está cubierta de pelos rígidos,
muy ásperos, que dan la sensación
de que pinchan. Es una hortícola
que se introdujo en Europa gracias
al descubrimiento de América, ya
que es originaria de Centroamérica
y Sudamérica. Su distribución
geográfica actual es amplia,
puesto que se cultiva en casi
todo el mundo, siempre y
cuando pueda disfrutar
de un clima suave o
tropical. Así pues,
habita huertos
y campos de
cultivo, y suele
consumirse
sin esperar a
que se desarrolle
plenamente el fruto.
No se extiende tanto como la calabaza.
Podemos hallar diversas variedades *condensa*, de
color amarillo (burpee's golden, gold rush), verde (zucchini,
defender, venus, supremo, diamond, onyx), blanco (tromboncino)
y verde con rayas longitudinales blancas (green bush). Las
variedades eight ball o one ball son esféricas, de color verde o
amarillo, respectivamente, y sunny es alargada y no supera los 15
centímetros. Otras variedades son blanco precoz, belleza negra,
verde perfection, verde de Italia, verde de Algar, verde hortelano,
redondo de Niza o ambassador.

Los calabacines en tu huerto

El calabacín pertenece a la familia de las cucurbitáceas; de hecho, se trata de una variedad de calabaza inmadura. Su cultivo acostumbra a ser relativamente fácil, pues sus semillas tienen un alto poder germinativo y el crecimiento vegetativo es fuerte y abundante.

Siembra

El calabacín no soporta las heladas, por lo que seremos prudentes a la hora de sembrar las semillas. Podemos sembrarlas en un semillero protegido en el interior a partir de marzo y directamente al aire libre de abril a julio, dependiendo de cuándo cesen las heladas en la zona donde residimos.

Al tratarse de semillas con un alto poder germinativo, la forma más fácil de sembrar el calabacín es de forma directa en el suelo definitivo, teniendo en cuenta el riesgo de heladas.

El tiempo de germinación acostumbra a ser de una semana y media.

Trasplante

Prepararemos la tierra bien mullida y con un alto contenido orgánico, pues el calabacín es una planta exigente. Precisa un suelo equilibrado en nutrientes; así, es ideal una buena aportación de compost bien descompuesto.

Si practicamos una siembra directa, prepararemos hoyos con una distancia entre ellos de 1 metro aproximadamente. Sembraremos de 2 a 3 semillas por hoyo y los cubriremos con botellas de plástico PET cortadas por la mitad. Esto ayudará a mantener una buena temperatura de germinación y protegerá a las plántulas de posibles ataques de caracoles y gusanos. Una vez que nazcan las plántulas, arrancaremos las más débiles, y dejaremos una por hoyo.

Si hemos optado por la siembra en un semillero protegido en el interior, trasplantaremos entre un mes y un mes y medio después de la germinación de las semillas. Cubriremos del mismo modo las plántulas con botellas de plástico y mantendremos un metro de separación entre ellas.

Cultivo

El cultivo del calabacín es muy fácil si se tienen en cuenta algunos aspectos básicos. Necesitamos una buena tierra orgánica, equilibrada y bien mullida, pues el crecimiento vegetativo del calabacín es importante y con sus raíces sucede lo mismo.

Se trata de una planta de verano, por lo que necesita un abundante riego. Es aconsejable el riego con goteo, evitando que el agua toque directamente al tallo, pues es fácil que tengamos problemas de hongos o podredumbre.

El acolchado del suelo es ideal, ya que mantiene la humedad del suelo y protege el tallo y las hojas de posibles encharcamientos y excesos de agua. Si no podemos acolchar, realizaremos constantes escardas del suelo para mantenerlo bien mullido y ventilado. No acostumbra a tener problemas con las hierbas competitivas, pues su crecimiento foliar es tan intenso y rápido que cubre la práctica totalidad del suelo de cultivo. Es importante tener una buena biodiversidad en el huerto, puesto que el calabacín necesita la polinización a través de insectos. Precisamente por ese motivo

resulta difícil el cultivo en macetas, en un balcón o una terraza. En estos casos, si se desea una abundante producción, es obligado realizar la polinización de las flores de forma manual. Por esta razón, existe un riesgo bastante alto de cruce de variedades si están plantadas demasiado juntas.

Para mantener el suelo sano, procuraremos mantener rotaciones de 4 años, por lo que no volveremos a plantar calabacines en el mismo lugar hasta que transcurra este tiempo; sin embargo, se pueden poner plantas de la familia de las liliáceas y las umbelíferas, como puerros, cebollas o zanahorias. Será, asimismo, conveniente plantar calabacines en un lugar donde el año anterior se encontraban plantas de la familia de las leguminosas.

Si no podemos hacer bien estas rotaciones, una buena manera de mantener el suelo equilibrado, es plantar con judías y maíz, ya que las tres mantienen un buen equilibrio de nutrientes en el suelo y se ayudan en el control de plagas.

Cuidado

Como siempre, una buena salud del suelo y una gran biodiversidad en el huerto facilitan el crecimiento sano de las plantas y evitan el desarrollo de posibles plagas. El calabacín no acostumbra a presentar demasiados

problemas. Puede atacarlo el pulgón, si tenemos la tierra excesivamente nitrogenada; no obstante, si solo utilizamos abonos orgánicos, este problema se reduce de forma clara. Si el ataque es muy fuerte, el mejor remedio son las mariquitas. Se puede proceder a buscarlas por el huerto para colocarlas donde está la plaga; los pulgones son su alimento preferido.

Si hay un exceso de humedad en el aire, tenemos una elevada humedad foliar y escasa humedad en el suelo, pueden aparecer problemas de hongos como el oídio y mildiu. Si mantenemos la tierra húmeda y ventilada y pulverizamos azufre al amanecer, controlaremos bien el problema.

Recolección

Cogeremos los calabacines a medida que los vayamos precisando.

Hay que tener en cuenta que los de tamaño pequeño acostumbran a tener un exceso de nitratos, pues es un fruto con abundante agua y estos suelen acumularse con estas condiciones. Así pues, lo ideal es cogerlos de un tamaño medio. Si los dejamos crecer en exceso, la planta reduce la fructificación y tendremos menos producción. Solo dejaremos crecer en exceso alguno de los primeros frutos, que señalaremos colocando una caña junto a ellos, y los dejaremos madurar para obtener semillas.

El calabacín es una hortaliza con muy pocas calorías, por lo que es muy adecuada en dietas de adelgazamiento. Constituye una importante fuente de minerales y vitaminas C y B9. Cuanto más pequeño sea el calabacín, más digestivo resultará. También posee propiedades laxantes, hecho que contribuye a mitigar el estreñimiento, y diuréticas, por lo que ayuda a depurar el organismo.

Ingredientes

* ⋆ 1,8 kg de calabacín (ya pelado)
* ⋆ 900 g de cebollas peladas
* ⋆ 450 g de azúcar moreno
* ⋆ 1 cucharadita de mostaza en grano
* ⋆ 1 cucharadita de jengibre molido
* ⋆ 1 cucharadita de cúrcuma molida
* ⋆ 1 cucharadita de pimienta de Cayena
* ⋆ 1,7 l de vinagre de vino blanco
* ⋆ 6 clavos de especia
* ⋆ 10 granos de pimienta

Chutney
de **calabacín**

Para 3,5 kg de chutney
Preparación: 20 minutos + maceración
Cocción: 1 hora y 15 minutos

Preparación

1. Lava los calabacines bajo el grifo, sécalos con un paño limpio y pélalos con un pelaverduras. Córtalos en dados y disponlos en una fuente grande cubiertos con sal. Déjalos reposar durante toda la noche.
2. Transcurrido este tiempo, escurre el líquido que hayan soltado. Pela las cebollas y pícalas.
3. Dispón los dados de calabacín junto con la cebolla picada en una cazuela grande. Añade los granos de mostaza, el jengibre molido, la cúrcuma y la pimienta de Cayena. Vierte el vinagre y mezcla.
4. Envuelve los clavos de especia y los granos de pimienta negra en un trozo de muselina, átalo con hilo de cocina y agrégalo a la cazuela.

5. Cuece a fuego medio hasta que hierva. Añade el azúcar moreno, baja el fuego y deja cocer durante 1 hora. Retira la bolsa de especias y deja que se enfríe.
6. Vierte el chutney en frascos esterilizados, cúbrelos con un disco de papel encerado y tápalos.

Puedes preparar esta misma receta con dados de calabaza, pelada y sin semillas, y macerados toda la noche en sal para que suelte el máximo de humedad.
Recuerda que debes colocar hacia abajo el lado encerado de los discos de papel.

Mermelada
de calabacín

Preparación: 5 minutos
Cocción: 40 minutos

Preparación

1. Lava los calabacines y córtalos en trozos.
2. Calienta el aceite en un cazo e incorpora los trozos de calabacín. Remueve y, a continuación, tápalo para que se vaya cociendo a fuego suave durante 10 minutos, pero sin que se dore.
3. Después, incorpora el azúcar y remueve, sobre todo al principio. Deja cocer con el propio jugo a fuego suave durante 30 minutos.
4. Tritura con la batidora, pon la mermelada en botes y ciérralos bien. Si realizas esta operación con la mermelada muy caliente, se hará el vacío y no será necesario que pongas los recipientes al baño María.

Una receta exquisita, para saborear calabacines todo el año, y dulce, para combinar con platos salados. Atrévete con pescados, carpaccios, quesos, las tostadas del desayuno...

Flores de calabacín
rellenas con mozzarella
y anchoas

4 personas
Preparación: 20 minutos
Cocción: 5 minutos

Preparación

1. Limpia las flores de calabacín. Para ello, elimina los pistilos, limpia el interior con la punta de un trapo húmedo y deja que se sequen unos minutos sobre un papel de cocina absorbente. Evita lavarlas directamente bajo el grifo porque los pétalos pierden consistencia con el agua y se reblandecen.
2. Corta la mozzarella en dados muy pequeños y déjalos escurrir en un colador durante 10 minutos. Escurre bien los filetes de anchoa y corta cada uno de ellos en cuatro trozos.
3. Casca los huevos en un cuenco y bátelos ligeramente con una pizca de sal. Incorpora poco a poco la harina tamizada y la cerveza y sigue batiendo hasta que obtengas una masa de rebozar lisa y homogénea.
4. Rellena las flores de calabacín con los daditos de mozzarella y un trocito de anchoa. Cierra la abertura colocando los pétalos hacia dentro y pásalas de una en una por la masa de rebozar. Fríelas por tandas en una sartén con el aceite caliente hasta que se hayan dorado uniformemente.
5. Déjalas escurrir sobre papel de cocina absorbente para que pierdan el exceso de aceite, sálalas muy ligeramente y sírvelas enseguida, bien calientes.

El sabor de las flores es muy delicado. Por ello, como las anchoas son saladas, hay que ser muy cuidadoso con el punto de sal.

Calabacines marinados
con **alcaparras** y piñones

4 personas
Preparación: 45 minutos
Cocción: 10 minutos

Preparación

1. Lava los calabacines bajo el grifo, sécalos con un paño limpio y córtalos a lo largo en láminas de unos 3 mm de grosor.
2. Pela y pica el diente de ajo. Mézclalo con el perejil en el cuenco de la picadora y prepara un puré con una pizca de sal, añadiendo poco a poco 10 cucharadas de aceite. Incorpora las anchoas picadas y las alcaparras y reserva.
3. Dora ligeramente los piñones en una sartén antiadherente.
4. Asa las lonchas de calabacín por tandas durante 1 minuto por cada lado en una plancha muy caliente con unas gotas de aceite de oliva.
5. Rocíalas con el aceite de perejil, los piñones y la ralladura de limón. Déjalas macerar en la nevera durante un mínimo de 6 horas y sírvelas como entrante o como acompañamiento.

Ingredientes

* 3 calabacines medianos
* 4 cucharadas de perejil picado
* 1 diente de ajo
* 12 cucharadas de aceite de oliva
* 4 cucharadas de piñones
* 4 filetes de anchoa
* 2 cucharadas de alcaparras
* 1 cucharadita de ralladura de limón
* sal

Esta receta queda más completa si se mezclan en la misma bandeja berenjenas y calabacines. Si se utilizan berenjenas, es conveniente hornearlas unos minutos después de asarlas en la plancha.
La salsa se puede elaborar también con un pesto clásico de albahaca.

Ingredientes

* 3 cebollas tiernas
* 15 g de mantequilla
* 2 calabacines
* 300 g de espinacas frescas
* 1 manojo de perifollo
* 1 manojo de albahaca
* 15 cl de nata líquida
* sal
* pimienta recién molida
* aceite de oliva

Crema de calabacín

Para 6 personas
Preparación: 20 minutos
Cocción: 30 minutos

Preparación

1. Pela y pica finas las cebollas. Derrite la mantequilla en una cacerola grande, añade la cebolla y rehógala a fuego lento hasta que esté transparente, pero sin que llegue a dorarse.
2. Limpia bien los calabacines y corta las puntas. Trocéalos en pequeños dados. Lava las hojas de espinacas, asegurándote de eliminar toda la tierra, y córtalas en tiras.
3. Añade los calabacines y las espinacas a la cacerola, junto con las cebollas, y rehoga la preparación durante 2 minutos más.
4. Agrega 1,3 l de agua a la cacerola, pon un poco de sal y lleva a ebullición. Deja cocer a fuego lento durante 20 minutos, sin tapar el recipiente.
5. Pica la albahaca y el perifollo y añádelos a la crema, sin dejar de remover la preparación. Bate hasta que la crema adquiera una consistencia homogénea.
6. Antes de servir la crema, caliéntala a fuego lento, añade la nata y un poco de pimienta recién molida y sírvela en una sopera con un chorrito de aceite de oliva.

Para que la crema quede más ligera y espumosa puedes pasarla por un pasapurés fino y luego batirla a mano con un batidor de varillas.

Calabacín salteado
con **ajo** y **tomillo**

Para 4 personas
Preparación: 10 minutos
Cocción: de 8 a 10 minutos

Ingredientes

* 6 calabacines pequeños
* 1 diente de ajo
* 4 cucharada sopera de aceite de oliva
* ½ cucharadita de café de tomillo
* sal
* pimienta recién molida

Preparación

1. Lava el calabacín con agua fría y sécalo bien. Córtale las puntas, después en cuatro a lo largo y luego en láminas finas sin pelarlo. Pela el ajo y pícalo.
2. Calienta un poco de aceite en una sartén. Incorpora el calabacín y sofríelo a fuego vivo de 8 a 10 minutos, removiendo de vez en cuando con una espátula de madera o agitando la sartén con fuerza, con un movimiento de vaivén. Añade el ajo a media cocción. Mientras tanto, calienta una fuente honda.
3. Espolvorea el calabacín con tomillo, salpimienta y vuélvelo a mezclar. Pásalo a la fuente caliente. Sirve como acompañamiento de carnes, aves o pescados.

Ingredientes

* 4 calabacines medianos
* 300 g de carne de cordero picada
* 100 g de arroz de grano largo
* 40 g de mantequilla
* 30 g de harina
* 2 dl de leche
* una pizca de nuez moscada
* 1 huevo
* 2 cucharadas de uvas pasas
* 2 cucharadas de queso rallado
* tomillo, laurel, romero y perejil
* pimienta recién molida
* sal

Calabacines a la **griega**

Para 4 personas
Preparación: 40 minutos
Cocción: 1 hora y 5 minutos

removiendo con una cuchara de madera hasta que esté dorada. Añade las pasas escurridas, salpimienta y reserva.

3. Cuece el arroz en una cazuela con agua con sal durante 18 minutos. Escúrrelo y resérvalo. Prepara una salsa bechamel ligera con la mantequilla, la harina y la leche. Salpimienta y añade una pizca de nuez moscada.
4. Mezcla el arroz, el picadillo de carne y la bechamel. Añade el huevo batido y remueve.
5. Blanquea los calabacines cortados por la mitad durante 10 minutos en agua hirviendo salada. Vacíalos y rellénalos con la farsa preparada. Espolvoréalos con el queso rallado. Hornéalos a 200 °C durante 10 minutos y otros 5 minutos con el grill encendido. Sírvelos bien calientes.

Preparación

1. Lava todas las hierbas, sécalas con papel de cocina absorbente y pícalas con un cuchillo afilado. Lava los calabacines y córtalos por la mitad a lo largo. Deja las pasas en remojo en un cuenco en agua caliente durante 30 minutos.
2. Calienta 2 cucharadas de aceite en una sartén y cuece la carne picada con las hierbas durante 7 minutos,

Para un plato original, añade al picadillo de carne 50 g de requesón o de queso feta desmenuzado.

calabaza de verano

calabaza bonetera

Frutos

Los frutos tienen formas, tamaños y colores muy diversos, dependiendo de la especie y de la variedad. Se suelen recolectar en otoño, para disfrutar de su pulpa en invierno. Las semillas son blanco-amarillento, aplanadas y lisas.

Hojas

Las hojas muestran la forma de una mano; son palmatilobadas, grandes y atractivas, así como peludas.

Flores

La calabaza es monoica. Así, en una mata se encuentran flores masculinas separadas de las flores femeninas, que muestran un engrosamiento en la su base, donde posteriormente aparecerá el fruto. Florece de junio a agosto. Las flores comestibles amarillas tienen forma de trompeta.

calabaza confitera

DICE EL REFRANERO

Aún no está en la **calabaza** y ya se torna **vinagre**.

calabaza

La calabaza (*Cucurbita pepo* var. *pepo*) es una planta anual de la familia de las Curcubitáceas, cubierta de pelos rígidos, muy ásperos, que dan la sensación de que pinchan. Es una hortícola que se introdujo en Europa gracias al descubrimiento de América. Su origen es neotropical, ya que es originaria de Centroamérica y Sudamérica. Su distribución geográfica actual es amplia, puesto que se cultiva en casi todo el mundo, siempre y cuando disfrute de un clima suave o tropical. Podemos hallar otras especies parecidas a la calabaza, de mayor tamaño, con un tallo de gran crecimiento, que puede alcanzar hasta 4 metros. Hallamos la calabaza amarilla o confitera, de pulpa naranja y dura, *Cucurbita maxima* Duch. in Lam.; la butternut o *C. moschata*, y la calabaza de cabello de ángel, *C. ficifolia* C.C. Bouché, que tiene unas hojas en forma de riñón y lobuladas. El fruto tiene una corteza de color verde con manchas blancas y la pulpa es blanca. Existen diferentes variedades: verde de España (*C. maxima*), totanera, dulce de horno, roja de Etampes, mammouth, ohio, llena de Nápoles, amarilla grande, amarilla de París, sunburst, uchiki kuri, pilgrim butternut, crown prince y turk's, entre otras. La denominada *Lagenaria siceraria* (Molina) Standley es la especie anual trepadora que tiene unos frutos en forma de recipiente y que se cultivaba antiguamente para utilizarse como contenedor.

Las calabazas en tu huerto

Existen muchas variedades de calabaza para diversas utilidades, de manera que, para el huerto, escogeremos la variedad que más nos guste dependiendo de nuestra necesidad.

Siembra

La siembra de la calabaza se asemeja a la del calabacín. Se puede sembrar en un semillero protegido en el interior a partir de marzo, o, directamente en el exterior, a mediados de mayo. Si decidimos sembrarlas en un semillero, es preciso poner de 2 a 3 semillas en pequeñas macetas de tierra orgánica. Germinarán al cabo de diez días, momento en el que, con mucho cuidado, solo dejaremos una plántula, la más fuerte y vigorosa.

Si sembramos directamente en el exterior, cavaremos un hoyo por semilla, que prepararemos con tierra bien mullida y orgánica, a la vez que lo cubriremos con una botella de plástico cortada por la mitad, para mantener la temperatura y evitar que los caracoles y los gusanos puedan suponer una amenaza.

Trasplante

La calabaza tiene un crecimiento vegetativo muy importante, por lo que ocupa mucho espacio. Así, se debe preparar el lugar de forma que las plantas puedan extenderse sin invadir a otros cultivos del huerto. Se les puede destinar un trozo de tierra, o plantarse en los lados del huerto. Prepararemos hoyos, separados unos 2 m entre sí, con una buena aportación de compost, pues es un cultivo exigente en cuanto a nutrientes. Dejaremos una sola plántula por hoyo, que protegeremos con una botella de plástico hasta que tenga entre 6 y 10 hojas. La calabaza es muy sensible al frío; en este sentido, hay que tener en cuenta que una helada tardía podría dañar gravemente las plántulas.

Cultivo

Una vez hayan enraizado las plántulas, el cultivo es relativamente fácil. Necesita un riego abundante, aunque hay que evitar que se mojen los tallos y las hojas, ya que la planta podría ser propensa a padecer hongos. Aunque el gotero es ideal, también se pueden regar por inundación, en cuyo caso se aconseja plantarlas en caballones elevados y proceder al riego, evitando que se encharquen el tallo y las hojas.

Es preferible tener la tierra acolchada con paja, ya que conserva la humedad del suelo y evita la podredumbre de los frutos porque no están en contacto con el suelo. Si no es posible esta técnica, procuraremos que la tierra esté bien escardada y ventilada.

Siempre que la tierra esté bien equilibrada y no se haya tenido problemas en las primeras fases de crecimiento, las hierbas competitivas no interrumpirán el cultivo, pues la calabaza se extiende rápidamente y cubre el suelo con un manto foliar que impide el crecimiento de posibles hierbas que puedan suponer un riesgo.

La calabaza es una planta que se poliniza a través de insectos, por lo que será conveniente tener una buena biodiversidad en el huerto, y mantenerla separada de otras variedades, ya que la polinización cruzada es relativamente fácil y perderíamos la variedad que hemos escogido.

Si en un tallo aparecen varios frutos, podemos cubrir con tierra el tallo más próximo al primer fruto, de este modo enraizará y favorecerá el crecimiento y la aportación de nutrientes para que puedan madurar todos los frutos que haya en el mismo tallo.

Es interesante mantener una rotación de cultivo de 4 años para favorecer el equilibrio natural del suelo.

Como el calabacín, las calabazas se pueden plantar con judías y maíz. Se trata de una típica asociación de las cucurbitáceas que favorece el equilibrio de nutrientes del suelo y el control natural de plagas.

Cuidado

Las calabazas no acostumbran a tener muchos problemas de plagas y enfermedades.

Es importante, como siempre, mantener un suelo sano y equilibrado y no reducir el riego.

Cuando las plántulas son tiernas, suelen sucumbir a los ataques de babosas y caracoles. No obstante, podemos protegerlas con una botella de plástico cortada por la mitad; de este modo, evitaremos el problema en los primeros estadios de crecimiento, momento en que la planta es más vulnerable.

Si hay mucha humedad ambiental, o lluvias constantes en verano u otoño, pueden aparecer problemas de hongos como el oídio, que observaremos como una capa blanca que cubre las hojas. En ese caso, la podemos tratar con azufre en polvo por las mañanas a primera hora.

Recolección

Las calabazas tienen un fuerte crecimiento vegetativo en verano, y los frutos empiezan a madurar a finales de verano y a principios de otoño, más o menos entre 4 y 6 meses después de trasplantarlas.

Recogeremos las calabazas a medida que vayan madurando, cuando el pedúnculo esté seco, momento en que se rompe de forma fácil y que indica que el fruto está en su punto.

Si deseamos obtener semillas, conservaremos las calabazas más bonitas y vigorosas, en especial las que tienen la forma y el color de la variedad que hemos plantado, evitando las que se hayan cruzado con otras variedades.

La calabaza es una hortaliza con un elevado contenido en fibra, lo que ayuda a regular el tránsito intestinal. Es también una excelente fuente de sales minerales y vitaminas, especialmente de vitamina C, por lo que juega un importante papel en el tratamiento de las enfermedades degenerativas. Su color amarillo anaranjado se debe a la elevada concentración de provitamina A o betacaroteno, cuyas propiedades antioxidantes resultan eficaces en la prevención de las enfermedades cardiovasculares. Es una verdura hipocalórica.

Ingredientes

* 1 kg de calabaza
* 1 cebolla
* 1 pimiento rojo pequeño
* 1 l de caldo de pescado
* aceite de oliva
* sal
* pimienta

Crema de calabaza

Preparación: 10 minutos
Cocción: 50 minutos

Una crema de calabaza muy original y muy fácil de preparar, adecuada incluso para un día festivo. La clave es que se cocina con caldo de pescado. ¡Prepárala y seguro que triunfas!

Preparación

1. Pela la cebolla, córtala y resérvala. Pela la calabaza y córtala en dados. Limpia bien el pimiento y córtalo.
2. Vierte el aceite en una cacerola y sofríe la cebolla hasta que esté transparente, pero sin que llegue a dorarse. A continuación, añade el pimiento y deja cocer unos 5 minutos más. Incorpora la calabaza y remueve; déjala en el fuego unos 10 minutos.
3. Vierte el caldo de pescado, un poco de sal y pimienta y lleva a ebullición. Deja cocer a fuego lento durante 30 minutos. Transcurrido este tiempo, ya puede triturarse y servirse. Puede acompañarse de unos picatostes de pan tostado.

Pastel de calabaza

Preparación

Preparación: 15 minutos
Cocción: 20 minutos

1. Precalienta el horno a 180 °C.
2. Pon la mantequilla en un cazo y derrítela al baño María. Deja que se enfríe. Mientras, ralla la calabaza.
3. En un cuenco, bate los huevos con el azúcar, la vainilla y una pizca de sal hasta que adquiera una textura cremosa. Incorpora la mantequilla y remueve hasta conseguir una textura de punto de nieve.
4. Tamiza la harina y la levadura. Agrégalas a la masa y remueve de abajo arriba. Añade los piñones y la calabaza.
5. Vierte la preparación en un molde e introdúcelo en el horno. Deja cocer unos 20 minutos.

Ingredientes

* 150 g de mantequilla
* 300 g de pulpa de calabaza
* 4 huevos
* 200 g de azúcar
* vainilla
* 300 g de harina
* 100 g de piñones
* 1 sobre de levadura en polvo
* azúcar glas
* una pizca de sal

Transcurrido este tiempo, si el pastel todavía no está hecho, déjalo unos minutos más.

6. Desmolda el pastel y espolvoréalo con azúcar glas.

Calabaza de Halloween

Materiales

* una calabaza con el pedúnculo
* rotulador permanente
* cuchillo afilado o cúter
* una vela pequeña tipo calienta té

1. Emplea una calabaza de forma esférica. Con un cuchillo afilado, corta la parte superior donde se halla el tallo y dale una forma redondeada, pues más tarde servirá de tapa para la lámpara.
2. Con una cuchara o un utensilio para realizar bolas de helado, vacía la pulpa de la calabaza hasta que quede completamente vacía.
3. Con la ayuda de un rotulador, dibuja los ojos y la nariz sobre la superficie más lisa de la calabaza.

Para que resulte más fácil, traza tres triángulos: dos para los ojos y el otro para la nariz. Para realizar la boca, dibuja una forma de zigzag, que serán los labios. Para recortar los ojos, la nariz y la boca, usa un cuchillo afilado o cúter y, con mucho cuidado, recorta las formas.

4. Cuando tengas la calabaza acabada, coloca una vela en su interior y tendrás una lámpara muy decorativa para la noche de Halloween.

Con la pulpa de la calabaza se puede elaborar una riquísima crema de calabaza.

Frutos

Las semillas aparecen en las inflorescencias del segundo año.

cebolla roja

cebolla blanca

Flores ↗

Las flores blancas se agrupan formando umbelas densas. Posee tépalos libres.

↗ Hojas

Las hojas son semicilíndricas, con un margen entero y sin pelos.

La cebolla (*Allium cepa* L.) pertenece a la familia de las Liliáceas. Numerosas especies de *Allium* crecen de manera silvestre en la Península, como el cebollino o el ajo de bruja. Sin embargo, otras se cultivan, como la cebolla, el ajo o el puerro. Este cultivo tan antiguo procede de Oriente Medio. La cebolla tiene un tallo fistuloso que se engrosa en la parte inferior. El bulbo es la parte comestible que tiene forma globosa. Es una planta bianual, de manera que hasta el segundo año no aparece la flor.

cebolla

También comprende la raza *ascalonicum* (aggregatum o chalótes), de tallo no inflado, flores blancas y numerosos bulbos dulces. *A. fistulosum* L., o cebolla de invierno, muestra un tallo fistuloso hinchado en la parte media, hojas cilíndricas y flores amarillas. Sus hojas tiernas se emplean para aromatizar. Existen muchas variedades de cebolla, que varían en cuanto a color, dulzor, forma, ciclo de cultivo o condiciones ambientales óptimas de crecimiento. Así pues, podemos hallar variedades de invierno y de verano, dependiendo de si se recolectan tiernas o secas; en este último caso, se pueden conservar bien hasta el momento de consumirlas. Existen variedades de bulbo blanco (blanca de Fuentes), amarillo (babosa, valenciana) o rojo (de Figueres). Algunas variedades locales son la cebolla babosa o de Ciutadilla, aunque también existen otras más internacionales, como ailsa craig, red baron, north holland, barletta, ishikura o white lisbon. Entre las tempranas (primavera) se pueden mencionar las siguientes: spring, texas early grain, sangre de buey, amarillo-paja, amarilla bermuda. Las de media estación son: liria, cristal wax o blanca bermuda, blanca de España, morada de España. Entre las tardías, podemos encontrar: amarilla azufre de España, grano, grano de oro o valenciana, morada de Amposta, dulce de Fuentes de Ebro. En cuanto a otros tipos de cebolla se pueden mencionar los siguientes: cebollitas o cebolla parda.

Las cebollas en tu huerto

La cebolla es una de las plantas más utilizadas en nuestra cultura. Existe una gran tradición en su cultivo, por lo que se dispone de múltiples variedades entre las que escoger. Hay cebollas para consumirlas crudas o para conservarlas, así como variedades dulces, picantes, blancas, redondas o alargadas. Un sinfín de variedades que nos permite innovar y conocer la gran biodiversidad que se cultiva en nuestro país.

siembra y trasplante

La cebolla es una planta muy extendida por todo nuestro territorio, por lo que existen variedades adaptadas a cada clima y estación del año. Si se sabe escoger bien las variedades, se puede disfrutar de la cebolla prácticamente durante todo el año. Para establecer una clasificación fácil, se puede decir que existen variedades de verano y de invierno. Las primeras se siembran al aire libre de agosto a septiembre, para trasplantarlas a su lugar definitivo de noviembre a enero, y se recolectan de mayo a julio.

Las variedades de invierno, en cambio, se siembran en el interior de febrero a marzo para trasplantarlas a su lugar definitivo de mayo a junio y para recogerlas de septiembre a octubre.

Se puede proceder a la siembra de varios modos, y dependiendo de la época del año (en interior o exterior). Si se siembran en el interior, se puede hacer a voleo sobre una base de suelo bien mullido y orgánico, a ser posible sobre compost bien descompuesto; después, se rastrillará un poco y, una vez germinadas las semillas, se procederá a un aclarado, dejando unos 2 cm de espacio entre ellas. Cuando las hojas alcancen una altura aproximada de 15 cm, se deben trasplantar a su lugar definitivo.

Si se siembra al aire libre, existen dos formas de hacerlo. Una es escogiendo un pequeño espacio de nuestro huerto, preparar una cama de suelo bien mullido y orgánico y sembrarlas a voleo, para después proceder al posterior aclarado y trasplante, como en el caso de la siembra en interior. La otra consiste en sembrar directamente en su lugar definitivo. En este caso, se deberá disponer de la tierra muy bien preparada y ser suficientemente hábiles para conseguir repartir las semillas de manera homogénea por todo el terreno. Si se consigue una germinación equilibrada, se podrá proceder al aclarado.

En cualquiera de los casos, se tiene que ir con cuidado a la hora de trasplantar. Cuando las plántulas midan unos 15 cm de altura, se tienen que plantar en su lugar definitivo, teniendo cuidado de no dañar las raíces.

El margen de plantación será de entre 10 y 15 cm de distancia entre las plantas. En el momento trasplantar, se regará de manera abundante para que las raíces se mezclen bien con la tierra y puedan estabilizarse con rapidez. Las raíces de la cebolla son muy superficiales y pueden dañarse y secarse con facilidad, de manera que en estos primeros estadios del cultivo se debe tener mucho cuidado.

Cultivo

Si se ha conseguido un buen enraizamiento, el cultivo de las cebollas no debe presentar demasiados problemas, pues se trata de unas plantas rústicas y resistentes.

Es necesario disponer de un suelo fresco, ligero y aireado. No son muy exigentes en nitrógeno, pero sienten predilección por una buena aportación de potasio y fosforo. Si se plantan en un lugar donde había una buena aportación de compost, no se precisará añadirle más.

Asimismo, se puede incorporar ceniza de madera limpia para aportar el potasio y el fosforo necesarios. El acolchado con paja no es muy recomendable en las cebollas, ya que la escasa distancia de plantación entre ellas y el crecimiento superficial del bulbo puede dificultar su manejo.

Lo ideal es regarlas con un gota a gota, ya que no toleran los encharcamientos y necesitan una humedad constante y homogénea.

Se deben realizar escardas constantes para mullir la tierra, airearla, evitar el crecimiento de las hierbas competitivas y prevenir los posibles problemas de exceso de humedad. En este punto, debemos tener cuidado de no dañar las raíces, pues su superficialidad las hace bastante vulnerables.

Si se dispone de espacio suficiente, es recomendable hacer una rotación de cultivo de 4 años; así, en el lugar de las cebollas se puede plantar solanáceas, que son mucho más exigentes en nitrógeno, y las cebollas se pueden ubicar donde antes había lechugas, acelgas o calabacines.

Cuidado

Las cebollas; como la mayoría de liliáceas, no acostumbran a presentar demasiados problemas en cuanto a plagas o parásitos; al contrario, a veces su presencia los ahuyenta.

El principal problema que suele producirse es la podredumbre o el ataque de ciertos hongos a causa de un exceso de humedad. Se evitará este problema solo con vigilar los posibles encharcamientos y realizando escardas constantes.

Otro problema frecuente debido al pequeño marco de plantación es el control de las malas hierbas. Si no se cava la tierra con frecuencia, es fácil que en poco tiempo las cebollas hayan desaparecido.

Recolección

Se pueden ir recolectando tiernas para su consumo en fresco, cuando hayan alcanzado el tamaño idóneo. Si tiene la intención de conservarlas, hay que dejar que prácticamente se seque la planta. En este caso, se doblan los tallos de las cebollas unas semanas antes de recogerlas y se dejan de regar, así se favorece la maduración del bulbo. Se tienen que recoger cuando estén secas y deben dejar secar al sol un par de días; después, se pueden conservar en cajas de madera.

La cebolla es una hortaliza rica en minerales, vitaminas y oligoelementos. Posee propiedades antisépticas, vermífugas y antirreumáticas. Su consumo regular ejerce una acción beneficiosa sobre el sistema cardiovascular y el nivel de colesterol. Esto último se consigue si se consume cebolla cruda con regularidad; no obstante, hay que ir con cuidado porque, si se come en cantidades elevadas, puede provocar flatulencias y halitosis.

Sopa de **cebolla** con **setas**

Ingredientes

Para 4 personas
Preparación: 15 minutos
Cocción: 30 minutos

* 2 cebollas medianas
* 100 g de ceps u otras setas
* 1 l de caldo de ave
* 1 vasito de vino blanco seco
* 4 cucharadas de queso emmental rallado
* 2 cucharadas de mantequilla
* pimienta recién molida
* sal

Preparación

1. Limpia las setas con un paño limpio, retírales el pie terroso y córtalas en láminas. Pela las cebollas y córtalas en rodajas.
2. Calienta la mantequilla en una cazuela de fondo grueso y rehoga la cebolla a fuego lento durante 5 minutos, sin dejar que adquieran color. Añade las setas, salpimienta y continúa la cocción durante 3 minutos más.
3. Vierte el vino blanco y sube el fuego. Deja que reduzca durante unos instantes para que el alcohol se evapore.

4. Cubre con el caldo y lleva a ebullición. Deja hervir durante 5 minutos y retíralo del fuego. Espolvorea la superficie de la cazuela con el queso emmental rallado y gratínalo bajo el grill hasta que se dore. Retira la sopa del horno, déjala reposar unos instantes y sírvela bien caliente.

Si deseas darle más consistencia puedes añadir unas rebanadas de pan y espolvorear encima de ellas el queso rallado.
Para que el sabor sea más intenso, añade un ajo picado cuando agregues las setas a la cebolla rehogada.
Es importante escoger una variedad de cebolla que sea sabrosa. Cuando mejor sea la cebolla, mejor resultará la sopa.

Quiche de cebolla caramelizada y camembert

Ingredientes

* 3 cebollas
* 100 g de beicon
* 150 g de queso camembert
* 2 dl de nata líquida
* 4 huevos
* 1 lámina de hojaldre
* 1 ramita de perejil
* pimienta
* sal

Para 4 personas
Preparación: 15 minutos
Cocción: 1 hora y 10 minutos

Preparación

1. Pela y pica las cebollas. Calienta 2 cucharadas de aceite en una sartén antiadherente y rehoga la cebolla a fuego muy lento durante 25 minutos, de forma que quede casi caramelizada. Retírala del fuego y reserva.

2. En la misma sartén, añade un hilo de aceite y dora el beicon cortado en tiritas finas durante 2 minutos o hasta que esté crujiente. En un cuenco grande o en una ensaladera bate los huevos con una pizca de sal y pimienta negra recién molida.

Añade la nata líquida y sigue batiendo hasta que se mezcle bien. Agrega las tiritas de beicon, la cebolla caramelizada y el queso camembert cortado en trozos. Espolvorea con el perejil picado y mezcla. Precalienta el horno a 200 °C.

3. Engrasa ligeramente un molde desmontable y forra las paredes y el fondo con el hojaldre. Pínchalo con los dientes de un tenedor y rellénalo con la preparación anterior. Hornea a 200 °C durante 35 minutos. Deja entibiar la quiche antes de servirla.

Los quesos fuertes quedan perfectos en las quiches. Prueba con los azules más famosos, como el roquefort o el gorgonzola.

Solomillo de atún con pisto

Para 4 personas
Preparación: 25 minutos
Cocción: de 10 a 15 minutos

Ingredientes

* 4 solomillos de atún de unos 150 g cada uno, sin piel
* 2 cucharadas soperas de aceite de oliva
* sal
* pimienta recién molida

Para el pisto

* 200 g de pimientos verdes
* 200 g de cebollas
* 400 g de tomates
* 1 diente de ajo
* 50 g de jamón del país o serrano
* sal
* pimienta
* una pizca de pimiento de Espeleta en polvo

Preparación

1. En primer lugar, prepara el pisto. Lava los pimientos, córtalos por la mitad, retira las semillas y los hilos y córtalos en dados pequeños. Pela las cebollas, córtalas y pícalas bien finas. Escalda los tomates durante 15 segundos, pélalos, quita las semillas y corta la pulpa en dados. Pela el diente de ajo, retira el germen y májalo. Pica el jamón bien fino.

2. Calienta en una sartén la mitad del aceite de oliva e incorpora la cebolla. A los pocos minutos, añade el pimiento cortado en dados y sofríelo a fuego lento de 5 a 10 minutos, sin dejar de remover.

Incorpora el jamón, el tomate y el ajo. Salpimienta. Espolvorea el pisto con pimiento de Ezpeleta y déjalo cocer a fuego vivo, hasta que el agua del tomate se haya evaporado por completo. Reserva.

3. Engrasa de nuevo la sartén con el aceite de oliva restante y ponla a fuego vivo. Salpimienta los solomillos de atún, colócalos en la sartén y fríelos durante unos 2 o 3 minutos por cada lado. Distribuye el pisto en los platos con los solomillos encima y sírvelos inmediatamente.

Los frutos son pequeñas drupas que
tienen un tamaño que oscila entre 1
y 3 centímetros. Son de color rojo
brillante, globosos, carnosos, dulces,
sabrosos, jugosos, de carne blanda,
aromáticos, tienen hueso, y pueden
poseer una hendidura poco profunda
en un lado. Las cerezas empiezan
a madurar a finales de primavera,
dependiendo de la variedad.

cereza común

cereza negra

cereza picota

↑ Hojas

Las hojas son de color verde
brillante en el haz y en el envés,
además de blandas, tenues,
translúcidas, con nervios laterales
muy regulares y casi paralelos.
El limbo foliar es ovalado, de 9 a
14 centímetros, con un margen
dentado de dientes irregulares,
acabados en punta y una
característica especial, ya que
el peciolo cuenta con glándulas
rojas en el extremo superior.

↙ Flores

Las flores, blancas, a
menudo aparecen antes
que las hojas, entre marzo
y abril. Con pedúnculos
de 2 a 6 centímetros y 5
pétalos grandes, de 9 a 15
milímetros, forman racimos
sésiles (sin pedúnculo), que
se agrupan de 2 a 6.

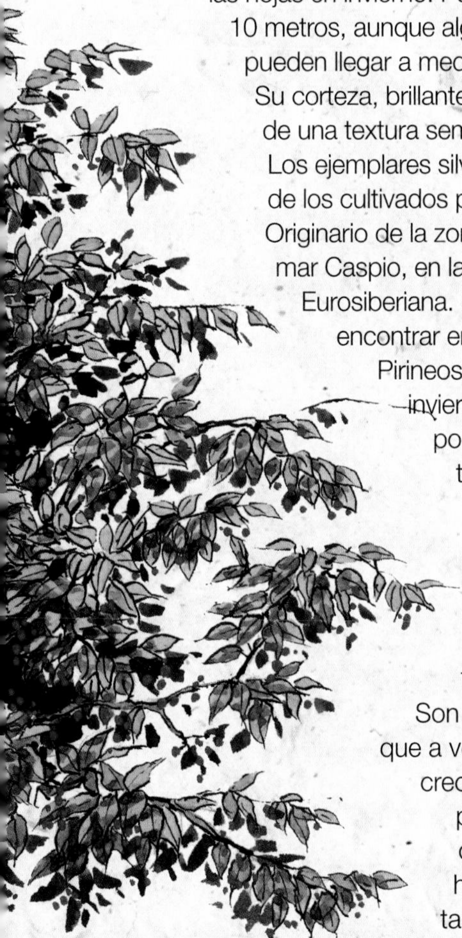

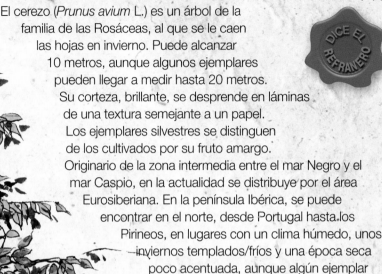

El cerezo (*Prunus avium* L.) es un árbol de la familia de las Rosáceas, al que se le caen las hojas en invierno. Puede alcanzar 10 metros, aunque algunos ejemplares pueden llegar a medir hasta 20 metros.

Su corteza, brillante, se desprende en láminas de una textura semejante a un papel. Los ejemplares silvestres se distinguen de los cultivados por su fruto amargo.

Originario de la zona intermedia entre el mar Negro y el mar Caspio, en la actualidad se distribuye por el área Eurosiberiana. En la península Ibérica, se puede encontrar en el norte, desde Portugal hasta los Pirineos, en lugares con un clima húmedo, unos inviernos templados/fríos y una época seca poco acentuada, aunque algún ejemplar también puede introducirse hacia el interior de la mitad norte de España. Habita en bosques caducifolios húmedos del estaje montano y en lugares lluviosos del mediterráneo a orillas de los ríos, desde los 100 hasta 1 700 metros de altitud.

Son numerosas las variedades cultivadas, que a veces aparecen subespontáneas, y que crecen de manera casi natural. Aunque se pueden cultivar a gran escala, también ocupan un lugar privilegiado en los huertos, pues sus frutos son apreciados tanto por niños como por adultos.

Podemos encontrar cerezas, picotas y guindas. Las primeras tienen pedúnculo (rabo). La picota posee una punta en la parte opuesta al rabo y la consistencia de la carne es más dura; además, el pedúnculo cae en el momento de recolección. La guinda (*Prunus cerasus* L.) es más redonda que la cereza, tiene un color rojo oscuro y un sabor más ácido, carece de verrugas en el peciolo y se puede conservar en aguardiente para usarla en confitería. Algunas de las múltiples variedades son: burlat, napoleón, ambrunesa, pico negro y pico colorado, mollar de Lleida, starking, lapins, summit, vittoria, van (California), picota y sandy, garrafal tigre, garrafal de Lleida, guinda tomatillo, guinda royale, richmond, morello y guinda montmorency.

cereza

gall cereixa

eusk gerezi

cat cirera

Las cerezas en tu huerto

El cerezo es uno de los frutales típicos de las huertas de nuestras tierras. Se trata de un árbol amplio y de una gran belleza. Existen muchas variedades de cerezas, por lo que lo ideal es intentar recuperar alguna de las variedades antiguas en desuso, pues su adaptabilidad al terreno es mayor. Además, a pesar que la producción suele ser inferior, la calidad de sus frutos nos recompensa con creces.

Siembra

Alguna variedad de cereza ácida, junto con las guindas, pueden sembrarse directamente a partir de una semilla o trasplantando los brotes que nacen al pie de los cerezos. La mayoría de las variedades necesitan ser injertadas. Así pues, si no somos demasiado expertos, lo más fácil es comprar en nuestro vivero de confianza la variedad que más nos gusta, que ya estará injertada. Por suerte, existen muchos bancos de semillas y viveros que están recuperando variedades antiguas y de tradición centenaria. Si se escoge alguna de estas variedades, se contribuirá a recuperar la biodiversidad cultivada de nuestro país.

Trasplante

Dependiendo del porte de la variedad que se haya escogido, se plantarán los arbolitos ya injertados a una distancia de entre 6 y 12 m entre ellos. Una vez plantados, deben regarse abundantemente para ayudar a un buen enraizado.

No suelen ser arboles muy exigentes en cuanto a nutrientes, por lo que les bastará con un suelo bien equilibrado. Se adaptan con facilidad a cualquier tipo de suelo. Son sensibles a los cambios climáticos bruscos, por lo que se escogerá un lugar al resguardo, ya sea en pendientes, fondos de valles o cerca de muros de gran altura. No soportan las heladas tardías y las corrientes de viento directas.

Cultivo

Es un árbol poco exigente en cuanto a nitrógeno y prefiere los suelos ligeros y un poco calizos. Si el suelo es muy pesado y demasiado alcalino, se puede tener problemas de clorosis férrica.

Durante los primeros años de cultivo, se puede acolchar con paja los pies de los arboles, ya que así se conserva la humedad del suelo y se protegen de hierbas o arbustos competitivos. Una vez el árbol ya tiene un buen porte, es preferible dejarlo con el suelo descubierto y realizar escardas periódicas para mantener la zona de alrededor limpia y ventilada. Con el riego se debe proceder del mismo modo. Durante el tiempo de adaptación y enraizado es bueno realizar riegos constantes para facilitar un crecimiento sano y continuo. Una vez el cerezo esté enraizado no necesitará riego, pues sus largas raíces se extenderán y conseguirán el agua necesaria en cada momento, aunque todo dependerá de las condiciones climáticas de la zona y de la variedad que se haya plantado. Si la pluviometría anual es escasa, se deberá regar más a menudo y escoger variedades adaptadas al secano.

Es un árbol muy sensible a la poda, pues las cerezas nacen en los brotes jóvenes que se estiran cada año. Solo se cortarán los brotes y las ramas secas o dañadas justo después de la fructificación y antes de la caída de las hojas, que es cuando el árbol acepta más los posibles cortes o heridas. Se debe tener especial cuidado, pues se trata de un árbol muy sensible a les heridas por poda y se puede infectar rápidamente y secarse las ramas enteras. Es bueno disponer de pasta cicatrizante y untar las heridas justo después del corte.

Los cerezos a veces pueden presentar problemas de polinización, función desempeñada por las abejas, por lo que es necesario mantener una buena biodiversidad en el huerto. Un buen jardín de plantas aromáticas y tener cerca tulipanes y narcisos ayudará a que abunden las abejas, que ayudarán en este menester.

Es uno de los frutales que tolera mejor el invierno, y necesita muchas horas de frío para una correcta floración. Por lo general, precisa unas 1 000 horas de frío, por lo que acostumbra a florecer tarde, una vez finalizadas las últimas heladas primaverales.

Cuidado

Uno de los problemas habituales en el cultivo de los cerezos son los pájaros, pues suelen ser más rápidos que los humanos a la hora de detectar la madurez del fruto, y en pocos días suelen dejarnos sin cerezas. Si los arboles aún son pequeños, se pueden cubrir con una malla para evitar el ataque aviar. Si son ya arboles adultos que acostumbran a tener un porte muy alto y extenso, la solución más fácil es compartir los frutos, pues los pájaros acostumbran a comerse las cerezas de las ramas más altas, y nosotros nos quedamos con las más bajas, de modo que no habrá necesidad de subir tan alto para recoger las cerezas. Otro problema importante y muy dañino es la gomosis, que es la secreción de resina por la corteza del árbol. Esto se debe normalmente a la asfixia radicular por encharcamiento o por la presencia de un hongo por estas mismas causas. En este caso se procederá a ventilar el suelo con una buena escarda, y si el problema persiste, se cortará las ramas que se sequen y se untará con pasta cicatrizante y fungicida para evitar la extensión de la enfermedad. Si aún así persiste, solo se tendrá la opción de tratar el árbol con algún fungicida y mantener el suelo bien aireado. La gomosis es una enfermedad de difícil tratamiento y puede secar todo el árbol en poco tiempo.

Para evitar el ataque de pulgones, se debe mantener el suelo ventilado y aireado y no tener exceso de nitrógeno. Los rociados preventivos con purín de ortiga proporcionarán vitalidad y fuerza al árbol para que sea resistente a posibles ataques.

Recolección

Las cerezas son de los pocos frutos no climatéricos, es decir, que no maduran si no se encuentran en el árbol. Así pues, es esencial estar atentos para recoger las cerezas en su punto óptimo y ser suficientemente audaces para ser más rápidos que los pájaros.

Su maduración es de las más rápidas, pues apenas 100 días después de la floración, las cerezas ya están a punto para saborearse. Es de los arboles más tardíos en florecer y más rápidos en fructificar.

Las cerezas son frutas ricas en azúcar, hecho que se debe de tener en cuenta si se sigue una dieta de adelgazamiento. Su consumo está contraindicado para los diabéticos. No obstante, posee propiedades diuréticas y laxantes debido a su alto contenido en potasio, fibra y orbitol. También es antiartrítica y antirreumática gracias a su contenido en vitaminas A y B_3.

Mermelada de **cerezas**

Para 1,750 kg de mermelada
Preparación: 45 minutos + maceración
Cocción: 25 minutos

Ingredientes

* 1 kg de cerezas ya limpias, sin hueso
* 700 g de azúcar
* 1 limón

Preparación

1. Lava las cerezas, déjalas escurrir en un colador y sécalas con papel absorbente. Retira los pedúnculos y deshuésalas con la ayuda de un cuchillo de puntilla o con un utensilio especial para este uso.
2. Tritúralas por tandas en el vaso de la batidora de forma que queden bastante enteras. Disponlas en una ensaladera grande con el azúcar, remueve para que quede todo bien mezclado y déjalas reposar a temperatura ambiente durante unas 6 horas como mínimo.
3. Transcurrido este tiempo, vierte la preparación en una cazuela de fondo grueso y cuece a fuego lento y sin dejar de remover con una cuchara de madera durante 25 minutos. Deja entibiar la mermelada y rellena botes esterilizados. Tápalos y vuélvelos a esterilizar al baño María para que queden herméticamente cerrados.

Es importante no triturar demasiado las cerezas con la batidora para que no se conviertan en un puré. Si lo deseas, puedes dejar macerar las cerezas con el azúcar durante toda la noche. Si no deseas hacer el vacío al baño María, rellena los botes ya esterilizados con la mermelada aún caliente, tápalos y déjalos reposar durante 12 horas boca abajo.

Licor de cerezas

Para 750 ml de licor
Preparación: 35 minutos + maceración
Cocción: 5 minutos

Ingredientes

* ★ 500 g de cerezas
* ★ 250 g de azúcar
* ★ ½ l de orujo u otro aguardiente
* ★ 1 vaso de agua

Preparación

1. Lava las cerezas, escúrrelas y retírales los pedúnculos. Tritúralas ligeramente dejando los huesos, y dispón la pasta resultante en un cuenco tapado con una gasa. Déjalas macerar en un lugar fresco, pero no en la nevera, durante tres días para que fermenten.
2. Vierte la pasta de cerezas en los tarros y cúbrelas con el orujo. Tapa herméticamente y deja que se maceren durante unos 2 meses.
3. Transcurrido este tiempo, filtra el jugo resultante con una estameña. Prepara un almíbar ligero cociendo durante 4 minutos el azúcar y el agua, déjalo enfriar y mézclalo con el jugo de las cerezas. Rellena las botellas y deja reposar otros dos meses antes de consumirlo.

Existen muchas formas de conseguir licores únicamente por maceración. Una fórmula muy sencilla consiste en dejar macerar 500 g de cerezas troceadas con 375 g de azúcar durante 6 horas. Luego, cúbrelas con 750 ml de ron blanco y deja macerar durante unos 7 días en la nevera. Transcurrido este tiempo, filtra el licor y embotéllalo. Si deseas darle una nota exótica, puedes dejar macerar el licor con una rama de canela y unos clavos de especia.

Clafoutis

Para 4 personas
20 minutos + reposo
Cocción: 40 minutos

Ingredientes

* ★ 500 g de cerezas
* ★ 100 g de azúcar
* ★ 125 g de harina
* ★ 3 huevos
* ★ 2 tazas (300 ml) de leche
* ★ 1 cucharada de mantequilla
* ★ una pizca de sal

Preparación

1. Lava las cerezas, retírales los pedúnculos y sécalas con un paño limpio. Disponlas en un cuenco grande o en una ensaladera, espolvoréalas con 50 g de azúcar y déjalas reposar durante 10 minutos.
2. Unta con mantequilla un molde de unos 26 cm de diámetro aproximadamente y distribuye las cerezas en el fondo. Precalienta el horno a 180 °C.
3. Mezcla los huevos batidos con la harina tamizada, el azúcar y la sal. Sin dejar de batir con unas varillas, vierte en hilo la leche fría. Mezcla con cuidado la preparación hasta que quede homogénea pero fluida.
4. Viértela sobre las cerezas y cuece la tarta en el horno, ya caliente, durante 40 minutos a 180 °C. Sírvela templada o fría.

El clafoutis es una de las tartas más famosas de la cocina primaveral francesa. Hay recetas que proponen deshuesar las cerezas. Sin embargo, la preparación más popular conserva los huesos, ya que confieren a la tarta un peculiar sabor que recuerda a la esencia de almendra y que es una de sus características más apreciadas por los buenos gourmets.
Si lo deseas, puedes espolvorear la tarta con azúcar glas en el momento de servirla.

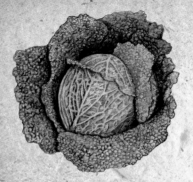

col verde de Milán

col roja

col blanca

Frutos

El fruto es una silicua, alargado y capsular, que se abre en dos valvas, característica de las crucíferas. Sin embargo, este hecho no se refleja en el tallo, que mide de 6 a 9 centímetros de largo por 0,5 centímetros de ancho, con el pico de unos 5 milímetros, aunque a veces puede alcanzar los 15 centímetros.

Hojas →

Las hojas son simples, más o menos oblongas, carnosas, sin pelos y de color verde azulado. Las inferiores no muestran muy dividido el segmento terminal y pueden medir 40 centímetros. Las hojas superiores suelen ser sésiles (sin peciolo) o semiampleuxicaules, es decir, abrazan el tallo por la base.

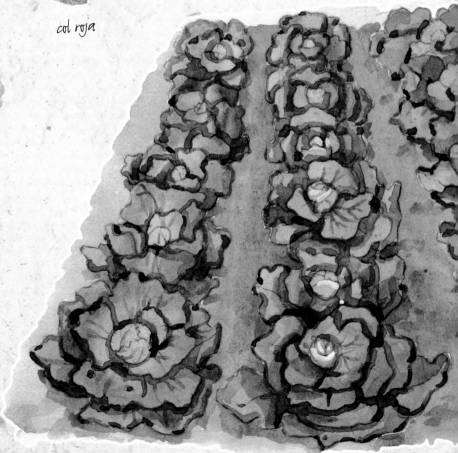

col

gall**col**
eusk**aza**
cat**col**

Junio, julio y
agosto, ni **mujer**,
ni **coles**, ni **mosto**.

La col (*Brassica oleracea* L. subsp. oleracea) pertenece
a la familia de las Crucíferas. Esta especie engloba las
diferentes variedades cultivares, la col rizada (*acephala*),
la col de Bruselas (*gemmifera*) y la col verde (*capitata*).
Se halla distribuida por la zona mediterránea y atlántica.
Es una planta bianual sin pelos que, cuando florece,
puede alcanzar 1 metro de altura. El tallo a menudo
es fruticuloso, cubierto de cicatrices de las hojas.
Alrededor de la gema terminal, dispone de una
acumulación de hojas formando un ovillo, lo que
hace que resulte especial, y que se trata de la col
que consumimos.
Brassica oleracea L. es la denominada *berza*
o *col*, que engloba dos subespecies, la
cultivada y la berza silvestre o col silvestre,
que corresponde a *Brassica oleracea* L.
subsp. *robertiana* (Gay) Rouy et Foucaud,
y que goza de una distribución
mediterránea, que alcanza incluso
los lugares rocosos cerca de la
costa. Las variedades se pueden
clasificar dependiendo del color y
la forma de las hojas y del color
del ovillo. Distinguimos, pues,
las coles de Milán, de hoja
rizada; el repollo, de hoja
lisa y ovillo blanco; y las
coles lombardas, de hoja lila.

Flores

Las flores tienen sépalos
erectos de 10 a 11
milímetros, y cuatro pétalos
dispuestos en forma de
cruz, de color amarillo y de
2 centímetros de diámetro.
Conserva una panícula laxa,
que es una inflorescencia
compuesta que se asemeja
a un racimo compuesto
por otros racimos. Florece
de febrero a mayo,
dependiendo del momento
de plantación.

Las coles en tu huerto

La col es una de las crucíferas de más alto valor para el huerto, pues el gran número de variedades distintas nos permite disponer de coles durante todo el año. Su alto valor nutritivo y medicinal la hace casi imprescindible en nuestra dieta, y su rusticidad y facilidad de cultivo hace que no tengamos excusa para que siempre esté presente en el huerto.

siembra y trasplante

Las múltiples variedades de col hacen que sea una planta que se pueda sembrar prácticamente durante todo el año, de manera que se procederá de distintos modos, dependiendo de la época y de la variedad que se quiera cultivar.

Las coles se pueden clasificar en primaverales, estivales e invernales.

Las coles primeras se siembran en un semillero al aire libre a mediados de verano, se trasplantan a su lugar definitivo a mediados de otoño y estarán a punto para consumirlas a mediados de primavera.

Las estivales se siembran a principios de primavera o a finales de invierno, dependiendo del clima. Cuando alcancen unos 5 cm de altura se deben trasplantar a su lugar definitivo y se recogen a finales del verano. Las invernales, que son las más típicas, se siembran en primavera para trasplantarlas a su lugar definitivo a finales de verano y recolectarlas entre noviembre y febrero.

En un semillero, las semillas se siembran a escasa profundidad en un suelo bien mullido y con una buena aportación orgánica. Se pueden sembrar directamente sobre una capa de compost bien descompuesto y mullido. Una vez germinadas, se procederá a un aclarado y se regarán de forma constante para evitar que se sequen las raíces. Dependiendo de la época del año, deben estar en interior o en exterior. A pesar de que las coles son extremadamente resistentes al frío, una helada en los estadios iniciales de crecimiento las podría dañar. Por lo general, deben alcanzar una altura de entre 5 y 10 cm y tener de 2 a 3 hojas ya formadas.

Para trasplantar a su lugar definitivo, debe dejarse una distancia de 45 a 50 cm de separación entre plantas y unos 60 cm entre hileras. Se preparará un suelo bien mullido y con una buena aportación de compost.

Cultivo

Las coles son muy agradecidas en el cultivo, pues su rusticidad hace que todo resulte bastante fácil. Se necesita un suelo ligero, bien mullido y con una buena aportación orgánica.

Se debe procurar mantener siempre una humedad constante en el suelo. Lo ideal es el riego por goteo, aunque también se puede realizar un acolchado con paja seca para conservar la humedad del suelo. Debido a su extenso crecimiento foliar, las coles son propensas a la deshidratación, excepto en los cultivos invernales, si la humedad ambiental es elevada.

Son realmente resistentes al frío, ya que algunas variedades pueden sobrevivir hasta los -10 °C, lo que las hace adaptables a casi cualquier lugar.

Si no se ha acolchado, se realizarán escardas del suelo para ventilarlo y evitar el crecimiento de hierbas competitivas. Si se actúa a tiempo, las coles tienden a ocupar todo el espacio de cultivo debido a su gran crecimiento vegetativo. Una vez han cubierto todo el suelo, no es fácil tener problemas de malas hierbas. Para mantener un buen equilibrio de nutrientes en el suelo, hay que practicar las rotaciones de cultivos de 4 años. Esto ayuda a que el suelo se vaya enriqueciendo cada vez más y que los aportes externos sean cada vez menores; asimismo, es una buena forma para controlar las plagas. Se puede plantar las coles, junto con leguminosas, ya que estas aportan el nitrógeno al suelo que necesitan las coles. Del mismo modo, tras el cultivo de coles, en su lugar se pueden plantar lechugas, acelgas o espinacas.

Cuidado

Con una adecuada rotación de cultivos, una buena humedad y cierta biodiversidad en el huerto, las coles no acostumbran a presentar demasiados problemas. Una de las más típicas y abundantes plagas en las coles son las famosas mariposas de la col. Se reproducen en primavera y durante el verano. Son fáciles de distinguir, ya que tienen las alas blancas con los extremos negros. Ponen los huevos en el haz de las hojas, y las larvas pueden ocasionar graves daños en el cultivo, pues su crecimiento es voraz y las hojas de las coles les encantan. Es posible realizar un control manual eliminando los huevos en primavera, o si la plaga ya se ha extendido, el rociado con el insecticida orgánico *Bacillus thuringiensis* controlará la plaga rápidamente.

Otro problema grave que es la hernia de la col. Se trata de abundantes bultos en la raíz y en los tallos inferiores a causa de un hongo que puede encontrarse latente en el suelo y que termina por secar por completo las coles. Hay pocos tratamientos disponibles para este problema. Lo mejor es quemar las plantas afectadas y no volver a plantar coles en ese lugar hasta transcurridos unos 7 años, pues es el tiempo en que pueden estar latentes en el suelo las esporas de este hongo. En principio, si se realiza una buena rotación de cultivos y se mantiene un suelo equilibrado, no tiene por qué aparecer este problema.

Recolección

Dependiendo de la variedad de col, se recolectará de una u otra forma. Las coles de repollo o las lombardas deben tener el ojo central bien formado; en cambio, otras como las berzas nos permiten recoger las hojas hasta que dejen de brotar.

La col es especialmente rica en fibra, por lo que resulta beneficiosa para regular el tránsito intestinal. También contiene hierro, por lo que está especialmente indicada para mujeres embarazadas y para combatir la anemia.

Es una hortaliza muy poco calórica, y con un elevado contenido en vitaminas A y C, por lo que resulta excelente para fortalecer las defensas naturales del organismo. De hecho, 200 g de col aportan tres veces más vitamina C que una naranja.

Paquetitos de col lombarda con manzanas

Ingredientes

* 8 hojas de col lombarda
* 2 manzanas
* 4 lonchas de jamón de York
* 1 rama de canela
* 1 clavo de especia
* 50 g de mantequilla
* ½ copita de brandy
* pimienta recién molida
* sal

4 personas
Preparación: 55 minutos
Cocción: 50 minutos

Preparación

1. Precalienta el horno a 165 °C. Corta el jamón de York en pequeños daditos del mismo tamaño. Pela las manzanas, retira la parte central y córtalas en 8 trozos. Distribúyelas en una fuente de horno previamente engrasada. Añade la canela y el clavo, rocíalas con el brandy y hornéalas a 160 °C durante 35 minutos.

2. Retira ocho hojas grandes de una col lombarda y lávalas bajo el grifo. Escáldalas en una cazuela con agua hirviendo durante 2 minutos. Retíralas y extiéndelas sobre un paño de cocina limpio. Reparte encima el jamón troceado y los trozos de manzana. Dobla las hojas sobre el relleno formando paquetitos, salpimiéntalos y átalos cuidadosamente con hilo de cocina.

3. Calienta la mantequilla en una sartén antiadherente y cuece los paquetitos por los dos lados durante 5 minutos con mucho cuidado de que no se rompan. Sírvelos inmediatamente.

Esta receta se presta a múltiples variantes con rellenos muy variados, como carne picada, codornices, uvas pasas, arroz... Estos paquetitos son ideales para acompañar un plato de carne o un asado de fiesta pero, si deseas servirlos como entrante, puedes completarlos con un sofrito de tomate, cebolla y ajo sazonado con unas cucharadas de jugo de carne.

Sopa mallorquina
de **col**

Para 4 personas
Preparación: 25 minutos
Cocción: 1 hora y 10 minutos

Ingredientes

* 500 g de col
* 3 cebollas
* 1 pimiento rojo
* 3 tomates maduros
* 2 dientes de ajo
* ½ barra de pan integral
* 1 cucharadita de pimentón dulce
* 1 tacita de aceite de oliva
* sal

Preparación

1. Pela las cebollas y córtalas en rodajas finas. Limpia el pimiento eliminando el pedúnculo y las semillas del interior y córtalo en dados. Limpia las hojas de col en un colador bajo el grifo, déjalas escurrir y córtalas en tiras. Pela y pica los dientes de ajo.
2. Practica un corte en cruz en la base de los tomates y escáldalos durante 2 minutos en una cazuela con agua hirviendo. Escúrrelos, pélalos, retira las semillas y trocéalos.
3. Calienta el aceite en una cazuela y rehoga la cebolla hasta que esté transparente. Añade los pimientos y los ajos picados y deja cocer durante 5 minutos más.
4. Incorpora la col y los tomates troceados y rehoga todo durante 10 minutos. Sazona con una pizca de sal y pimentón dulce y remueve con una cuchara de madera.
5. Vierte 1,5 l de agua bien caliente, rectifica de sal y deja cocer durante 30 minutos.
6. Corta el pan en rebanadas finas y distribúyelas en los platos o en cazuelitas individuales. Vierte la sopa encima y sírvela enseguida, bien caliente.

Puedes completar la sopa con carne magra de cerdo o con verduras de temporada, como alcachofas, acelgas, espinacas o guisantes.

Huevos escalfados
con **berza** y **salmón**

Ingredientes

* 4 huevos
* 200 g de salmón ahumado
* 8 hojas tiernas de berza
* 1 diente de ajo
* 100 g de mantequilla
* 1 limón
* unos tallos de cebollino
* 3 cucharadas de aceite de oliva
* 6 cucharadas de vinagre
* pimienta recién molida
* sal

Para 4 personas
Preparación: 40 minutos
Cocción: 35 minutos

Preparación

1. Escoge 8 hojas de berza muy tiernas. Retírales los nervios centrales, lávalas bajo el grifo y pícalas. Cuécelas en una cazuela con agua hirviendo durante 10 minutos y escúrrelas.
2. Calienta 3 cucharadas de aceite en una sartén y rehoga el ajo picado sin dejar que adquiera color.

Agrega las hojas de berza picadas, salpimienta y cuece 2 minutos más.

3. Casca cada huevo en un cuenco e introdúcelos en una cazuela con agua hirviendo con sal y 6 cucharadas de vinagre. Con una espumadera, envuelve la yema con la clara. Retíralos transcurridos 3 minutos, cuando la clara adquiera un color blanco, e introdúcelos en un cuenco con agua y hielo para detener la cocción. Luego, escúrrelos y corta los hilos de clara sobrantes con unas pequeñas tijeras.
4. Corta el salmón ahumado en tiras. Derrite la mantequilla y alíñala con un chorrito de zumo de limón. Sirve los huevos acompañados de la berza y el salmón ahumado y aliñados con la mantequilla, ralladura de limón y cebollino picado.

Frutos

El fruto es una silicua, alargada y capsular, que se abre en dos valvas, típica de las crucíferas. Mide de 6 a 9 centímetros de largo por 0,5 centímetros de ancho, con un pico de unos 5 milímetros.

coliflor violeta

coliflor blanca

coliflor romanesco

Hojas ↘

Las hojas son simples, más o menos oblongas, carnosas, sin pelos y de color verde azulado. Las inferiores no muestran muy dividido el segmento terminal y pueden medir 40 centímetros. Las hojas superiores suelen carecer de peciolo o bien abrazan el tallo por la base.

Flores

Las flores tienen sépalos erectos de 1 centímetro y cuatro pétalos dispuestos en forma de cruz, de color amarillo, y de 2 centímetros de diámetro. Es una inflorescencia compuesta, semejante a un racimo con otros racimos. Florece de febrero a mayo.

La coliflor (*Brassica oleracea* L. subsp. *oleracea*) pertenece a la familia de las Crucíferas. Esta especie engloba diferentes variedades cultivares, el brócoli (*italica*) y la coliflor (*botrytis*). Se halla distribuida por toda la zona mediterránea y atlántica. Es una planta bianual, sin pelos, que, una vez que florece, puede alcanzar 1 metro de altura. La característica especial se produce cuando brota la inflorescencia principal, que forma la esfera con las flores inmaduras.

La flor forma una pella o corimbo, es decir, un conjunto de flores carnosas, que constituye la coliflor que consumimos. El brócoli o brécol suele presentar la pella menos compacta, produce numerosos brotes secundarios con cabezas, que por otro lado son menores a los de la coliflor, y las hojas son de un color verde oscuro y más rizadas.

Las variedades más abundantes de coliflor y brócoli se pueden clasificar dependiendo de si son de invierno o de verano, o según el grado de compactación, el color y la forma del corimbo. Las variedades de coliflor extratempranas son las siguientes: la de Erfurt (blanca); esféricas: bola de nieve, veralto (compacta), eureka (blanca), catalina (tipo hueco); redondeadas y compactas: máster, brío, preciosa (blanca). Las tempranas y blancas son: suprimax (compacta, esférica), idol (tamaño medio, compacta) o avans (compacta, tamaño grande). Entre las de media estación se encuentran: primus (grande, esférica, blanca), camberra (tamaño medio), frankfurt (grande, blanca, compacta), danesa gigante (redondeada, resistente al frío). Las tardías y grandes: san José (hueca), cuaresma (blanca), metropolitana y ebro (esférica).

Las variedades del brócoli tempranas son: topper (mediana, verde), clipper, coaster, azul de santa Teresa (verde azulado), san Andrés (rosada). Las de media estación son: rosado de san Antonio (azulado), llucat (numerosos brotes, sabor fuerte), toro (pequeña, verde oscura). Las tardías: san José (azulado), verde tardío, san Isidro (rosado) o angers (blanca).

coliflor

gall coliflor

eusk azalore

cat coliflor

Las coliflores en tu huerto

La coliflor, perteneciente a la familia de las crucíferas, no tiene demasiados problemas de cultivo, aunque dentro de la familia, es una de las más sensibles. Se escogerá la variedad por la que se sienta predilección, teniendo en cuenta que su ciclo vegetativo puede durar más o menos según la variedad.

siembra

Si se procede a un cultivo escalonado, se podrá disponer de coliflores prácticamente durante todo el año; simplemente se tendrá que escoger entre las variedades adaptadas a cada estación del año.

Se pueden clasificar en variedades de verano-otoño, otoño-invierno e invierno-primavera.

Las de verano-otoño se sembrarán en un semillero protegido entre enero y marzo.

Las variedades de otoño-invierno se pueden sembrar al aire libre de mayo a junio.

Las de invierno-primavera se sembrarán al aire libre de julio a septiembre.

Las semillas de coliflor tienen un alto poder germinativo, pues bien almacenadas pueden durar de 5 a 10 años.

Se sembrarán siempre en un manto de tierra orgánica bien descompuesta, rastrillando para colgar un poco las semillas. Una vez germinadas, se puede realizar un aclarado, dejando unos 3 cm de distancia entre las plántulas. Si se dispone de bandejas de siembra, es posible sembrar de 2 a 3 semillas por taco, y una vez germinadas, dejar solo la que este más firme y vigorosa.

Trasplante

Cuando las plántulas tengan de 3 a 5 hojas formadas, se pueden trasplantar a su lugar definitivo. Prepararemos una tierra bien mullida y equilibrada en nitrógeno y potasio, pues son bastante exigentes en estos dos nutrientes.

Prefieren los suelos ligeros, poco pesados y detestan los suelos calizos.

Se deben trasplantar en Luna llena y ascendente, dejando un espacio de 50 cm entre ellas, pues algunas variedades antes de formar la inflorescencia tienen un abundante crecimiento foliar.

Cultivo

Como la mayoría de crucíferas, no presenta demasiadas dificultades en el cultivo. Simplemente se precisa un buen suelo mullido, ligero y equilibrado en cuanto a nutrientes.

Lo ideal es regarlas por goteo. Necesitan un buen aporte de humedad evitando los encharcamientos. El riego por aspersión no es aconsejable, pues puede traer problemas cuando se forman las inflorescencias. Lo ideal es hacer un acolchado con hojas secas de consuelda, ya que aportarán mucho potasio, que es necesario para el perfecto desarrollo de la coliflor. Si no se dispone de consuelda, es posible hacer el acolchado simple con paja, lo que retendrá mucha humedad del suelo y ayudará en el control de las hierbas competitivas.

Si se aporta una cantidad adecuada de compost bien descompuesto, no se tendrá problemas por falta de nutrientes.

La coliflor es típica de épocas frías, pero no tolera tan bien las heladas como sus hermanas las coles. En este caso, se procurará sembrar las variedades de otoño-invierno cuando empiece la primavera; se este modo se conservarán hasta finales de otoño y se evitará que las heladas dañen la inflorescencia.

En caso de las variedades que se recolectan en primavera, es bueno sembrarlas justo cuando termina el verano, para que durante el invierno tengan un buen crecimiento foliar y estén suficientemente enraizadas para soportar la posibilidad de inviernos demasiado fríos.

Como siempre, se procurará mantener rotaciones de 4 años, para que el suelo se mantenga equilibrado, con lo que se minimiza el riesgo de plagas y el ataque de hongos latentes en el suelo.

Se asocia bien con patatas y cebollas, y si se plantan hierbas aromáticas entre hileras, como el romero y la menta, ayudarán al control de parásitos.

Cuidado

No suelen presentar demasiados problemas si se mantiene un buen equilibrio en el huerto.

Las contrariedades más frecuentes son las mismas que las descritas en la col. El ataque de larvas y moscas puede dañar gravemente el crecimiento foliar. En este caso, se pueden utilizar insecticidas vegetales como *Bacillus thuringiensis*. En estos casos se debe siempre ser consciente de que estos insecticidas eliminan tanto las plagas como otros insectos que pueden ser beneficiosos, por lo que es aconsejable

emplearlos tan solo en el caso en el que no quede otro remedio.

Si la planta sufre la hernia de la col, no se tendrá más remedio que quemar los ejemplares afectados, y no volver a plantar coliflor en el mismo lugar hasta transcurridos unos 7 años.

Recolección

Dependiendo del clima y de la variedad escogida, las coliflores varían su ciclo vegetativo.

Por lo general, entre 2 y 3 meses se puede tener la inflorescencia formada. Algunas variedades de primavera suelen tener un ciclo más largo, pues el invierno detiene su crecimiento y desarrollo.

En todo caso, cuando la inflorescencia esté formada, se cortará con cuidado, junto con las primeras hojas que la envuelven.

La coliflor es una hortaliza que debe consumirse de forma regular, puesto que ayuda a prevenir y combatir la anemia, el estreñimiento y el cáncer.

Es poco calórica y acostumbra a producir una sensación de saciedad de forma muy rápida, por lo que se recomienda en dietas de adelgazamiento. Contiene mucha vitamina C, lo que constituye un excelente medio para fortalecer las defensas naturales del organismo.

Ingredientes

* 1 rodaballo de 1 kg
* 3 tomates bien maduros
* 50 ml de vinagre de Módena
* 200 ml de aceite de oliva
* perejil picado
* sal

Para la crema de coliflor

* 500 g de coliflor
* 200 ml de nata líquida
* 50 g de mantequilla
* sal
* pimienta

Rodaballo con crema de coliflor

Para 4 personas
Preparación: 20 minutos
Cocción: 30 minutos

Preparación

1. Pide en la pescadería que limpien bien el rodaballo, que lo corten por la mitad y los lomos en raciones.
2. Corta la base de la coliflor, separa los ramitos y lávala con abundante agua y vinagre. Ponla en una olla y cúbrela con agua. Añade un poco de sal y aceite y llévala a ebullición. Deja cocer unos 20 minutos.
3. Cuando finalice la cocción, escurre la coliflor. Calienta la nata, incorpora la mantequilla y la coliflor hervida y lleva a ebullición durante unos 5 minutos. Retira del fuego y tritura la preparación. Salpimienta y reserva la crema.
4. Escalda los tomates unos segundos en agua hirviendo y pélalos, retira las semillas y pícalos en dados muy pequeños.
5. En un cuenco prepara la vinagreta. Mezcla el vinagre de Módena con la sal y el aceite, bátelo, agrega los dados de tomate y aromatiza con el perejil picado.
6. Prepara los lomos de rodaballo, sazónalos y ponlos en una sartén engrasada bien caliente. Dóralos por ambos lados.
7. Sirve el pescado en platos individuales sobre 2 cucharadas de la crema de coliflor. Vierte un poco de vinagreta templada alrededor del pescado y corona con un poco de perejil.

Flan de coliflor y zanahorias

4 personas
Preparación: 15 minutos
Cocción: 1 hora y 15 minutos

Ingredientes

* ★ 4 zanahorias
* ★ 1/2 coliflor pequeña
* ★ 2 dl de nata líquida
* ★ 2 dl de leche
* ★ 2 huevos
* ★ una nuez de mantequilla
* ★ 1 clavo de especia
* ★ pimienta recién molida
* ★ sal

Preparación

1. Pela las zanahorias y córtalas en rodajas. Pincha el clavo en una de las rodajas y cuécelas en una cazuela con la nata, la leche y una pizca de sal durante 15 minutos.
2. Lava la coliflor, sepárala en ramitos y cuécela en una cazuela con agua hirviendo con sal durante 10 minutos. Escúrrela y reserva algunos ramitos enteros. Tritura el resto de la coliflor junto con las rodajas de zanahorias escurridas hasta obtener un puré.
3. Bate los huevos con una pizca de sal y pimienta. Agrégalos al puré anterior y mézclalo bien. Añade la nata y la leche de cocción de las zanahorias y sigue batiendo hasta que la preparación quede lisa y homogénea. Precalienta el horno a 180 °C.
4. Unta seis moldecitos de flan con mantequilla y reparte la mezcla anterior. Introduce en cada uno de ellos unos ramitos de coliflor enteros y disponlos en una bandeja al baño María.
5. Hornea los flanecitos al baño María en el horno a 180 °C durante 45 minutos. Déjalos entibiar unos instantes y desmóldalos en los platos de servicio. Decóralos con cebollino picado y sírvelos enseguida.

Si lo deseas, puedes batir por separado el puré de zanahorias y el puré de coliflor con el resto de los ingredientes y preparar flanecitos de dos colores.

Coliflor al azafrán con cebolla y pasas

4 personas
Preparación: 15 minutos
Cocción: 25 minutos

Ingredientes

* ★ 1 coliflor
* ★ 1 cebolla roja
* ★ 16 hebras de azafrán
* ★ 1 cucharadita de pasas de Corinto
* ★ 4 cucharadas de aceite de oliva
* ★ sal

Preparación

1. Lava la coliflor bajo el grifo. Sepárala en ramitos y cuécelos en una cazuela con agua hirviendo salada durante 10 minutos. Escúrrelos y resérvalos.
2. Remoja las pasas en un cuenco con agua tibia durante 30 minutos. Escúrrelas y resérvalas.
3. Pela la cebolla y córtala en tiras muy finas. Calienta el aceite en una sartén antiadherente y rehoga la cebolla a fuego muy lento durante 4 minutos. Añade las pasas escurridas y deja que adquieran sabor durante 2 minutos.
4. Añade los ramitos de coliflor a la sartén. Saltéalos durante 3 o 4 minutos. Diluye el azafrán en un vasito con agua hirviendo y agrégalo a la sartén. Sazona con una pizca de sal y prosigue la cocción durante 4 minutos más, hasta que la coliflor haya absorbido totalmente el líquido. Sirve enseguida.

Frutos

El fruto engloba un conjunto de cuatro o cinco semillas que se mantiene intacto hasta germinar. Es decir, la semilla que se suele plantar en realidad es el fruto y origina diferentes plantas agrupadas.

espinaca viroflay

espinaca melody

Flores

La espinaca es dioica; las matas son masculinas o femeninas dependiendo del tipo de flores que contenga. Las flores masculinas muestran 4 tépalos. No se puede diferenciar si tiene pétalos o sépalos, y las femeninas son aclamídeas, sin perianto, ni corola, ni cáliz. Crecen en la intersección de las hojas con el tallo. Florece de marzo a septiembre.

Hojas

Las hojas son simples y de margen entero. Las inferiores tienen una forma casi triangular, y las superiores son ovaladas-oblongas, con peciolo. Se ordenan formando rosetas, que salen de una zona central. En el momento de florecer, surge un tallo a partir del cual surgen las hojas alternas. Dependiendo de la variedad pueden ser mayores o menores, planas u onduladas.

espinaca

gallespinaca

euskziazerba

catespinac

La espinaca (*Spinacia oleracea* L.) pertenece a la familia de las Quenopodiáceas. Es una planta que fue introducida por los árabes procedentes de Asia. Esta herbácea anual no tiene pelos. Las hojas, en forma de flecha, lobuladas, ovaladas o redondeadas, se comen tiernas en ensaladas, y las maduras se cuecen.

Algunas de las variedades más conocidas son la butterfly, de ciclo más breve, y la gigante de invierno, de hoja más ancha. Otras son savoy, viking, viroflay, sevilla, tetona, apollo, matador, achile, holanda, rey de Dinamarca (de verano), virkade o estivato.

Las espinacas en tu huerto

Las espinacas son otro cultivo interesante para el huerto. El gran número de variedades hace a veces difícil la elección, pero, cualquiera de ellas aportará numerosos beneficios nutricionales y diversidad en el huerto.

siembra

Las espinacas pertenecen a la familia de las quenopodiáceas, y como la mayoría de plantas de esta familia, poseen unas semillas con un alto poder germinativo y una rusticidad muy elevada, de manera que germinarán y crecerán sin ningún problema. La mayor parte de variedades de espinacas son de cultivo otoñal, pues no soportan el calor. De modo que las semillas se siembran de finales de agosto a septiembre. Existen variedades primaverales que se siembran a partir de febrero.

La mejor manera de sembrar las espinacas es en su lugar definitivo. Para ello, hay que preparar una tierra bien mullida y con abundante compost bien descompuesto; no tolera el estiércol o el compost fresco. Se pueden sembrar a voleo y después realizar un aclarado, dejando un espacio de 15 cm entre plántulas y unos 25 cm entre hileras. En este punto, hay que ser suficientemente hábiles para realizar una siembra homogénea, que no ocupen mucho espacio y que no queden todas muy unidas. Para hacernos una idea, lo ideal sería unos 2 g/m².

Es posible realizar siembras escalonadas con el fin de que se pueda recolectar de forma progresiva, y consumir a medida que se necesiten.

En zonas frías se pueden sembrar de una vez, pues la llegada del frío detendrá su crecimiento, y las podremos ir consumiendo durante todo el invierno. Si seguimos el calendario lunar, se recomienda sembrarlas en Luna descendente.

Cultivo

La rusticidad de las espinacas hace que sea un cultivo fácil y que se puede extender casi de forma silvestre. Solo es importante respetar las fechas de siembra; no soportan el exceso de calor y si hace frío cuando todavía son pequeñas, dejarán de crecer. Algunas variedades son extremadamente resistentes al frío y pueden llegar a soportar temperaturas de al menos -10 °C, aunque deben haber enraizado bien y ya estar crecidas si se desea que soporten los inviernos crudos.

Si no le falta materia
orgánica ni humedad se
adapta bien a todos los tipos
de suelo, aunque prefieren
los arcillosos y más bien
pesados.
Con frescor, crecerán en
prácticamente cualquier tipo
de suelo.
El mejor riego es por goteo,
constante y poco copioso.
Necesita mantener una
humedad constante y un
suelo fresco y bien drenado.
Debido a su escaso porte, los
acolchados no son muy
prácticos, pues en poco tiempo,
las espinacas cubrirán la
totalidad del suelo de cultivo.
Solo deberemos controlar las

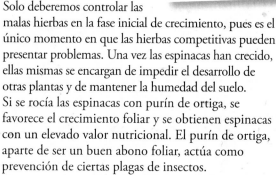

malas hierbas en la fase inicial de crecimiento, pues es el
único momento en que las hierbas competitivas pueden
presentar problemas. Una vez las espinacas han crecido,
ellas mismas se encargan de impedir el desarrollo de
otras plantas y de mantener la humedad del suelo.
Si se rocía las espinacas con purín de ortiga, se
favorece el crecimiento foliar y se obtienen espinacas
con un elevado valor nutricional. El purín de ortiga,
aparte de ser un buen abono foliar, actúa como
prevención de ciertas plagas de insectos.
Se procurará mantener una rotación de 4 años y se
puede volver a plantar en el lugar donde estaban las
leguminosas.
Debido a su rápido crecimiento, se pueden plantar
junto a otros vegetales de ciclo más largo. Se asocia

bien con muchas plantas; así pues, es ideal con
judías, lechugas, coles y escarolas.

Cuidado

El cultivo de espinacas no acostumbra a presentar
demasiados problemas debido a su rápido
crecimiento y a su rusticidad.
Se puede tener problemas de hongos como el mildiu,
debido al exceso de humedad y al frescor que siempre
debe haber en este tipo de cultivo. No se recomienda
tratar con cobre las espinacas, pues parece que
no está muy indicado; en este caso se procurará
mantener la tierra fresca, bien ventilada y aireada
y se evitarán los encharcamientos.
También se puede tener algún problema de caracoles
y babosas. En este caso, se esparcirá alrededor del
cultivo ceniza de madera limpia y seca. En los casos
más graves, se tendrá que eliminar a mano a los
invasores y cubrir el cultivo con una malla.

Recolección

Se puede empezar a recolectar un mes y medio
después de la siembra. Se irá cortando las hojas más
grandes a medida que se formen. De esta manera
se podrán ir recogiendo paulatinamente, ya que
la planta irá creando más hojas.
Las variedades de otoño permiten de 4 a 5 cosechas
por planta, y las de primavera un poco menos.
En todos los casos, cuando las plantas estén agotadas,
se procederá a arrancarlas.

La espinaca es una hortaliza con múltiples propiedades. Es una importante fuente de vitamina B9, vitamina C, provitamima A y minerales como el hierro, el potasio, el magnesio o el calcio. Resulta muy apropiada en la alimentación de las mujeres embarazadas, puesto que previene la anemia. Pero, debido a su alto contenido en ácido úrico y ácido oxálico, está contraindicada para las personas con problemas renales o aquejadas de gota.

Ingredientes

* ★ 400 g de espinacas tiernas limpias
* ★ 8 huevos de codorniz
* ★ 150 g de queso feta
* ★ 4 lonchas de beicon
* ★ 100 g de champiñones
* ★ 1 tomate grande de ensalada
* ★ 1 cucharada de semillas de sésamo tostado
* ★ 6 cucharadas de aceite de oliva
* ★ 1 cucharada de vinagre de Jerez
* ★ 1 cucharada de salsa de soja
* ★ pimienta recién molida
* ★ sal

Ensalada de **espinacas** con **feta** y **huevos** de codorniz

4 personas
Preparación: 20 minutos
Cocción: 10 minutos

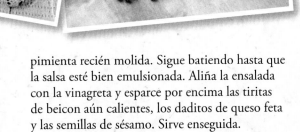

Preparación

1. Cuece los huevos de codorniz durante 5 minutos en agua hirviendo. Refréscalos bajo el grifo y pélalos. Limpia los champiñones y córtalos en láminas. Lava el tomate y córtalo en daditos. Corta las lonchas de beicon en tiras finas.

2. Dispón las hojas de espinaca en una ensaladera y reparte encima los champiñones y los huevos de codorniz cortados por la mitad.

3. Corta el queso feta en daditos. Fríe las tiras de beicon en una sartén antiadherente hasta que estén crujientes. Resérvalas.

4. Bate el vinagre con una pizca de sal. Añade el aceite de oliva, la salsa de soja y un poco de

pimienta recién molida. Sigue batiendo hasta que la salsa esté bien emulsionada. Aliña la ensalada con la vinagreta y esparce por encima las tiritas de beicon aún calientes, los daditos de queso feta y las semillas de sésamo. Sirve enseguida.

Si lo deseas, puedes saltear ligeramente las espinacas en una sartén antiadherente durante 2 minutos, y luego dejarlas enfriar antes de añadirlas a la ensalada.
Para evitar que los champiñones ennegrezcan, rocíalos con zumo de limón después de cortarlos.

Suflé de espinacas y gambitas

Para 4 personas
Preparación: 35 minutos
Cocción: 50 minutos

Preparación

1. Precalienta el horno a 190 °C. Lava bien las espinacas, retírales los tallos y cuécelas 5 minutos en una cazuela con el agua que quede en las hojas después de lavarlas. Escúrrelas bien y pícalas finas.
2. Calienta la mantequilla en una sartén, añade la harina y deja cocer un minuto. Agrega la leche en hilo y sigue cociendo sin dejar de remover hasta que espese como una bechamel ligera.
3. Retira la sartén del fuego, salpimienta y aromatiza con una pizca de nuez moscada. Incorpora la cucharada de zumo de limón, el queso rallado, las gambitas y las espinacas picadas.
4. Separa las yemas de las claras. Bate las yemas e incorpóralas a la preparación anterior.
5. Monta las claras a punto de nieve con una pizca de sal y agrégalas a la mezcla con movimientos envolventes para que no se bajen demasiado.
6. Unta con mantequilla un molde de suflé de 1 litro y espolvorea el fondo y las paredes con la mitad de las semillas de sésamo. Vierte la preparación en el molde y esparce el resto de las semillas.
7. Hornea el suflé durante 35 minutos a 190 °C hasta que haya aumentado de tamaño y esté dorado. Sírvelo inmediatamente.

Lasaña de espinacas y salmón

Para 4 personas
Preparación: 40 minutos
Cocción: 1 hora y 10 minutos

Preparación

1. Cuece las placas de lasaña en una olla con abundante agua salada el tiempo que indique el fabricante. Retíralas con cuidado y extiéndelas sobre un paño de cocina limpio.
2. Con un cuchillo muy afilado corta las lonchas de salmón del mismo tamaño que las lasañas. Reserva los recortes sobrantes.
3. Cuece las espinacas con agua y sal durante 7 minutos. Luego, escúrrelas en un colador y presiónalas con el dorso de una cuchara para que suelten toda el agua.
4. Pela y pica finamente la cebolla. En una sartén grande, calienta la mantequilla y rehoga la cebolla durante 3 o 4 minutos. Añade la harina, remueve y cuece 3 minutos más. Luego, vierte la leche y deja cocer sin dejar de remover hasta obtener una bechamel clara. Agrega los recortes sobrantes de salmón, salpimienta y reserva.
5. Unta una fuente refractaria con un poco de mantequilla y dispón una capa de lasañas. Forma capas de bechamel, salmón, espinacas y lasañas y finaliza con una capa de lasañas. Cubre con la bechamel restante, espolvorea con el queso emmental y gratina en el horno hasta que se dore la superficie. Sirve enseguida.

Lo que tiñe la **mora**, otra **verde** lo **descolora**.

DICE EL REFRANERO

mora enana

mora de los rastrojos

mora de Rubus phoenicolasius

cat móra · **eusk** masusta · **gall** mora

mora

La zarza (*Rubus* sp) es un arbusto silvestre de la familia de las Rosáceas. El género *Rubus* implica una gran complejidad en su identificación debido al gran número de especies de frutos negros que engloba. Una de las especies que se encuentra en estado silvestre con más frecuencia por toda la zona mediterránea es *R. ulmifolius* Schott. En cambio, una de las que se suelen cultivar por sus frutos es *Rubus tomentosus*, con un fruto similar a las frambuesas (*Rubus idaeus*). Crece bien en casi toda la Península, desde el nivel del mar hasta bastante altitud, dependiendo de la variedad. Este arbusto puede alcanzar varios metros de altura pero se extiende en horizontal. Tiene los tallos robustos, flexibles, nudosos, leñosos en la base, erectos, arqueados o rastreros, algunos con espinas y otros sin ellas. De la misma manera que son complejas las especies silvestres también lo son las cultivadas. Por ello, lo más sencillo es clasificar tanto las especies como las variedades por el porte erecto, semirrecto o rastrero de la mata, y por la ausencia o presencia de espinas.

Frutos

Ambos frutos comestibles son polidrupas carnosas, jugosas, que miden alrededor de 2 centímetros. Son dulces, cada uno con su fragancia característica, y se recolectan en verano.

La frambuesa posee un sabor agridulce; es esférica y ligeramente tomentosa, hecho que le brinda un tacto aterciopelado. Es de color rojo cuando está madura, aunque existen variedades de color amarillo, blanco o negro.

La mora es un poco ácida, alargada y negra, aunque alguna variedad puede ser púrpura o escarlata.

frambuesa
malling promise

frambuesa
golden everest

La frambuesa (*Rubus idaeus* L.) es un arbusto caducifolio y espinoso de la familia de las Rosáceas. Resulta relativamente sencillo de distinguir, ya que tiene los frutos rojos cuando están maduros, aunque puede confundirse con *R. saxatilis*, que los tiene del mismo color. Necesita cierta humedad. Este arbusto, que resiste muy bien las temperaturas bajas, puede alcanzar 1,5 metros de altura. Los tallos son leñosos, y casi toda la planta presenta numerosos aguijones rojizos rectos y débiles. Se puede cultivar *Rubus idaeus* y también otras especies procedentes de Norte América. Los frambuesos se clasifican según la época del año en que fructifican. Los bíferos producen sus frutos en verano y otoño, y no son tan valorados, ya que no resultan muy dulces y aromáticos, y son pequeños. Los uníferos solo fructifican en verano. Son apreciados por su dulzor, aroma y tamaño.

frambuesa

gall framboesa

eusk mugurdi

cat gerd

Las frambuesas y las moras en tu huerto

Las frambuesas y las moras son dos de los frutos blandos más apreciados por su sabroso gusto. Junto con las fresas, constituyen unas golosinas naturales para plantar en nuestro huerto.

Frambuesas

Cultivo

Las frambuesas se multiplican de forma muy similar a las fresas. Lo ideal es conseguir en un vivero de confianza los plantones para plantar.

El suelo debe estar bien mullido, con una buena aportación de compost bien descompuesto. Prefieren los suelos ligeramente ácidos y con una buena exposición solar.

Como estarán bastantes años en el huerto, es interesante realizar un buen abonado orgánico de fondo.

Se plantan en otoño, dejando una separación entre hileras de 1,5 m y unos 30 cm entre plantones. Se deben cavar bien y dejar la tierra bien apretada sin compactarla.

No son muy exigentes con el riego; si la cantidad de lluvia es adecuada, no se precisará más agua. Normalmente se adaptan a cualquier condición climática, sin extremos; además, soportan bien los fríos invernales y los calurosos veranos.

Es interesante realizar un acolchado con paja y evitar el crecimiento de malas hierbas; también se debe mantener la humedad del suelo.

Existen muchas variedades de frambuesa; por lo general deberán tener una estructura de soporte, ya que sus tallos son muy flexibles, se doblan con facilidad y se pueden romper.

La frambuesa se desarrolla en forma de matorral y acostumbra a fructificar en verano.

Necesita una simple poda para que la producción sea más abundante y homogénea. Se tienen que eliminar los brotes que han fructificado y aclarar la nueva vegetación, que dará nuevos frutos, dejando los más fuertes y vigorosos y eliminado los más débiles y delgados.

Cuidado

Con un suelo demasiado alcalino, se puede sufrir alguna carencia de hierro, que se hará patente como unas zonas amarillas en los nervios foliares.

También pueden presentar algunos problemas con virus, que se deben combatir eliminando las hojas afectadas y quemándolas. Algún ataque de pulgón puede inducir las virosis.

Las frambuesas actúan como plantas bianuales, pues un año generan las ramificaciones que fructificaran al año siguiente. Empezarán a fructificar de forma normal a partir del tercer o cuarto año.

Cuando están maduras se separan fácilmente de su receptáculo, algo que se hace patente por el brillo de la pulpa.

Moras

Cultivo

Las moreras pueden crecer en cualquier tipo de suelo, aunque hay que preparar un buen abonado de fondo con compost bien descompuesto. Acostumbran a adaptarse sin problemas a los climas templados, a pesar de que no toleran un frío excesivo.

Para plantarlas, es preciso adquirir en un vivero de confianza los árboles cuando todavía sean pequeños, y ya hayan enraizado. Se debe cavar un profundo hoyo bien mullido que cubra la totalidad de las raíces, que se cubrirá con tierra fina mezclada con compost bien descompuesto.

Dependiendo de la variedad y del clima, deberemos dejar más o menos espacio entre los árboles, una distancia que puede variar entre 5 y 9 m. Para mantener unas buenas condiciones de humedad y ventilación en el suelo, es ideal realizar un acolchado

constante con paja seca. De esta forma se evita la compactación del suelo, que podría causar una asfixia radicular.

No precisan riego si ya han enraizado bien. Se deben regar de forma periódica en las primeras fases de crecimiento.

Cuidado

En condiciones normales no suele existir ningún tipo de problema en el cultivo de las moreras, pues no acostumbran a sufrir ataques de plagas.

Recolección

Se sabe que las moras están maduras porque caen del árbol de forma natural. Por este mismo motivo es necesario un acolchado permanente con paja seca, para poder recogerlas sin dificultad.

Los pájaros nos ayudaran a la recolección de esta abundante cosecha y, además, esparcirán nuevas semillas de moreras por otros lugares.

Tanto las frambuesas como las moras son frutas muy poco energéticas, por lo que resultan muy adecuadas en regímenes de adelgazamiento.

Su elevado contenido en fibra ayuda a regular el tránsito intestinal. Son una buena fuente de minerales: calcio, magnesio y hierro. Debido a su contenido en vitamina C contribuyen a prevenir estados de anemia e infecciones. Se recomiendan a las personas diabéticas debido a su bajo nivel de glúcidos.

Licor de moras

Para 1,2 litros
Preparación: 35minutos + maceración
Sin cocción

Ingredientes

* 450 g de moras silvestres
* 100 g de azúcar
* 10 g de almendras enteras sin pelar
* 1 l de vodka

Preparación

1. Limpia las moras retirando las impurezas e introdúcelas en una botella vacía hasta llenar las 3/4 partes. Agrega el azúcar con la ayuda de un embudo.
2. Maja ligeramente las almendras en un mortero de manera que no queden pulverizadas. Mézclalas con las moras y rellena con el vodka.
3. Agita la botella con fuerza cada día hasta que el azúcar se haya disuelto por completo. Deja macerar esta preparación durante 3 meses.
4. Transcurrido este tiempo, filtra el contenido y pásalo a otra botella. Tápalo y déjalo reposar de 6 meses a 1 año antes de degustarlo.

Prepara un cóctel rápido de moras con vodka triturando un puñado de moras en la batidora con unas cucharadas de azúcar. Pasa el puré obtenido por un colador de malla fina y mezcla una medida de este zumo de moras con media medida vodka.

Puedes elaborar un anís de moras mezclando 1 litro de anís, dulce o seco, con 400 g de moras. Tapa y deja macerar durante 1 año antes de servir.

Para preparar una deliciosa bebida de moras sin alcohol, tritura con la batidora 600 g de moras silvestres con 100 g de azúcar. Pasa la preparación por un colador de malla fina e incorpora 1 litro de agua. Resérvala 2 o 3 días en la nevera y añádele un poco de agua con gas bien fría en el momento de servir.

Mermelada de moras

Para 800 g
Preparación: 1 hora y 10 minutos
Cocción: 50 minutos

Ingredientes

* 1 kg de moras
* 400 g de azúcar
* 1/2 limón

Preparación

1. Lava las moras retirando los pedúnculos y los tallos. Lávalas cuidadosamente en un colador bajo el grifo y escúrrelas para que suelten toda el agua. Disponlas en una ensaladera grande junto con el zumo de limón y el azúcar. Remueve y déjalas macerar durante unas horas.
2. Tritúralas ligeramente con la batidora sin pulverizarlas para evitar la astringencia de las semillitas. Vierte la mezcla resultante en una cazuela de fondo grueso y deja cocer a fuego medio hasta que empiece a hervir. En ese momento, baja el fuego y deja cocer durante 35 minutos, removiendo a menudo para que no se peguen.
3. Transcurrido este tiempo la mermelada estará aún bastante líquida. Pásala por un colador de malla fina con mucha paciencia presionando con el dorso de una cuchara para retirar todas las semillitas. Vuelve a poner la mermelada en el fuego y déjala cocer unos 15 minutos más.
4. Rellena los botes esterilizados, tápalos y déjalos reposar unas horas boca abajo o ciérralos al vacío en una cazuela al baño María.

La mermelada de moras no suele quedar muy espesa ya que es un fruto con muy poca pectina. Puedes prepararla también con 700 g de pulpa de manzana y 1 kg de moras por 1,4 kg de azúcar.

Cheesecake de manzana y frutos rojos

Para 6 personas
Preparación: 25 minutos
Cocción: 55 minutos

Ingredientes

* 1 lámina de pasta brisa

Para el relleno

* 250 g de queso fresco de untar
* 4 cucharadas de nata líquida
* 2 huevos
* el zumo de 1/2 limón
* 50 g de azúcar
* 1 manzana verde granny smith
* 1 manzana roja fuji
* una bandeja pequeña de frutos rojos (frambuesas, arándanos…)
* 2 cucharadas de mermelada de frutos rojos

Preparación

1. Extiende la pasta brisa y forra con ella un molde de tarta engrasado. Pincha el fondo con los dientes de un tenedor y cúbrelo con papel de horno. Rellénalo con garbanzos o alubias secas y cuécelo en el horno a 200 °C durante 15 minutos.
2. Con la ayuda de unas varillas, mezcla el queso fresco con la nata líquida, el azúcar y los huevos batidos. Añade el zumo de limón y sigue batiendo hasta obtener una preparación homogénea.
3. Retira el papel y las legumbres de la base de la tarta y déjala cocer 5 minutos más en el horno. Luego, rellénala con la crema de queso y vuelve a introducirla en el horno a 180°C de 35 a 40 minutos.
4. Deja que la tarta se enfríe. Mientras, lava las manzanas y córtalas en láminas sin pelarlas. Disponlas encima de la tarta a modo de abanico de forma que alternen colores. Decora el centro de la tarta con los frutos rojos.
5. Calienta 2 cucharadas de mermelada de frutos rojos en una sartén a fuego muy lento y pincela las manzanas antes de servir.

Puedes preparar la masa triturando unas 30 galletas maría con 75 g de mantequilla reblandecida.

Frutos

Los frutos comestibles son poliaquenios. Resultan deliciosamente aromáticos, suelen ser pequeños, aunque depende de la variedad de fresa y fresón; son alargados, ovoides o cónicos, y adquieren un color rojo cuando están maduros. Estos frutos, jugosos, dulces y ligeramente ácidos, se recolectan en verano.

fresa chandler

fresa elsanta

fresa selva

fresa gariguettes

Hojas

Las hojas se distribuyen en forma de roseta basal, de color verde brillante en el haz, con un peciolo muy largo con pelusilla, y 2 estípulas rojizas. Miden de 2 a 8 centímetros de longitud y están compuestas por 3 foliolos sésiles (sin peciolo), con los bordes dentados y el envés tomentoso.

Flores

La floración se produce de mayo a agosto. Las flores, hermafroditas y muy pequeñas, miden 1,5 centímetros de diámetro. Son blancas y nacen solas o se agrupan unas cuantas en inflorescencias pedunculadas. Los pétalos tienen forma ovada y sépalos verdes con pelos.

Lo que la **fresa** tiene de **medicina** lo tiene la **cereza** de **dañina**.

El fresal silvestre (*Fragaria vesca* L.), perteneciente a la familia de las Rosáceas, crece de manera espontánea en el sotobosque húmedo de casi toda Europa. En los Alpes hallamos *F. alpina*, en Alemania *F. elatior*, y en América *F. chiloensis*, *F. virginiana* y *F. grandiflora*. La fresa es perenne, posee estolones, es baja, pilosa, y necesita humedad y materia orgánica para desarrollarse de manera adecuada.

Se considera que en el mundo hay más de 1 000 variedades de fresas. El fresón también es un tipo de fresa. Debido al gran número de variedades existentes y a los requisitos específicos de cultivo para cada una de ellas, es imprescindible consultar sus necesidades antes de adquirir semillas o plantel. Las variedades pueden clasificarse en tres grupos, dependiendo de si para la floración se necesitan unas determinadas horas de luz al día y de frío: refloreciente o de día largo, no refloreciente o de día corto, y remontante o de día neutro.

Algunas de las variedades de fresa son reina de los valles (color rojo blanquecino a rojo brillante, que es dulce y aromática), splendor (precoz, cónica, de color rojo intenso y muy brillante), honor, endurance (cónica, rojo anaranjado), promesa (cónica, rojo intenso), ventana, camino real, diamante, aromas, albión, palomar, etcétera.

Alguna de las variedades de fresón son: camarosa (muy brillante), tudla (alargado, rojo intenso), oso grande (rojo anaranjado, achatado), cartuno (rojo brillante, dulce), carisma (rojo pastel), irwing (redondeada, achatada por el pedúnculo y rojo mate), pájaro (cónica, firme, rojo uniforme y brillante, de gran sabor), selva (de verano),

fresa

gall amorodo

eusk marrubi

cat maduixa

Las fresas en tu huerto

Las fresas son una de las golosinas que podemos cultivar en nuestro huerto. Su fácil cultivo y la infinidad de variedades hacen que reservemos para ellas un buen lugar.

siembra y trasplante

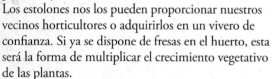

Las fresas no se siembran a partir de semillas; por lo general, se multiplican a través de estolones. Estos son brotes laterales que nacen en la base del tallo principal, crecen de forma horizontal y son capaces de generar raíces que dan lugar a plantas hijas.

Los estolones nos los pueden proporcionar nuestros vecinos horticultores o adquirirlos en un vivero de confianza. Si ya se dispone de fresas en el huerto, esta será la forma de multiplicar el crecimiento vegetativo de las plantas.

Lo ideal es plantarlas a durante el verano, o como muy tarde, hasta principios de octubre en las zonas cálidas. Se plantan a una distancia de 40 cm entre ellas. Se deben regar de forma abundante para que el enraizado tenga lugar sin problemas.

Durante el invierno, la fresa permanecerá en estado de latencia, acumulando las horas de frío que le son necesarias para un buen crecimiento vegetativo y fructificación, que se darán en primavera, cuando las temperaturas empiecen a subir.

Las fresas crecen en bosques de forma silvestre, por lo que es interesante buscar un lugar en el huerto que simule estas condiciones. Necesitan sol para fructificar pero toleran sin problemas la sombra.
Lo ideal es plantarlas en Luna ascendente y antes de la Luna llena.

Cultivo

Se plantará las fresas en un lugar separado de la principal zona de cultivo del huerto, pues son plantas plurianuales y permanecerán perennes unos años en el huerto. Lo ideal es plantarlas cerca del jardín de plantas aromáticas y medicinales.

Deben tener una tierra bien mullida, con un buen drenaje y con una buena aportación de materia orgánica bien descompuesta. Son exigentes en cuanto a nutrientes.

Se adaptan bien a cualquier tipo de suelo, aunque prefieren los suelos ácidos, arenosos y con abundante materia orgánica. No soportan los que resultan extremadamente calizos.

Si se tiene la oportunidad, se acolcharán con una cobertura de pinaza, pues aparte de retener la humedad del suelo, lo acidifica, algo que les encanta a las fresas.

Se deben regar por goteo y de forma abundante y regular durante las fases de crecimiento vegetativo y fructificación, sobre todo en primavera y verano. En otoño e invierno solo se tienen que regar cuando el suelo haya perdido la humedad.

Una vez enraizadas, las fresas son capaces de soportar temperaturas extremadamente bajas y pueden resistir fuertes heladas sin ningún problema. Esto las hace

adaptables a casi cualquier lugar de nuestro territorio. El desherbado es una tarea complicada en los fresales, pues su rápido crecimiento en horizontal a veces impide un correcto manejo con la azada. Lo ideal es mantener el suelo acolchado, teniendo en cuenta que debajo de la paja pueden esconderse babosas y caracoles que pueden dar algún pequeño problema. Una vez que el cultivo esté agotado, no se debe volver a plantar fresas en el mismo lugar hasta transcurridos 4 años, pues normalmente dejan el suelo bastante agotado. Lo ideal, después de las fresas, es sembrar un abono verde para restablecer el equilibrio del suelo. Se puede sembrar una mezcla de avena, veza, mostaza y fenogreco, que tendrá que cortarse antes de la floración para incorporarse al suelo. Esto dejará el suelo apto para posteriores cultivos.

Cuidado

Si se han plantado en suelos muy calizos, demasiado compactos o que sufren encharcamiento, se puede tener problemas de clorosis, lo que quiere decir que amarillean las hojas y se puede llegar a secar toda la planta.

En este caso, se procurará realizar escardas periódicas para mantener el suelo suelto, drenado y bien ventilado; además, se pueden realizar aportes de pinaza como acolchado de cobertura, que nos ayudará a equilibrar la acidez del suelo.

Por exceso de nitrógeno en el suelo o una fuerte y constante humedad ambiental, podemos tener ataques de pulgones o problemas criptogámicos. Para los pulgones lo ideal es mantener el suelo sano, drenado y equilibrado. Una buena biodiversidad en el huerto también será de ayuda, pues toda plaga es alimento para otra especie.

Se debe utilizar insecticidas y fungicidas vegetales para tratar estos problemas.

Cuando empiezan a madurar los frutos, es posible tener problemas con los pájaros. La mejor forma de evitarlo, aunque sea un poco laborioso, es crear una estructura que aguante una malla para evitar que los pájaros lleguen hasta los preciados frutos.

Recolección

Las fresas se pueden recolectar de primavera a verano, dependiendo de la variedad. Lo ideal es recogerlas por la mañana temprano, para que conserven toda su frescura.

Deben recogerse con cuidado para no dañar el pecíolo, pues de esta forma conservan intactas sus propiedades nutricionales.

Ingredientes

* 8 hojas de pasta filo o brick
* 60 g de mantequilla
* 1 bandeja pequeña de arándanos
* 1 bandeja pequeña de fresones
* el zumo de ½ limón
* azúcar glas
* 2 vasos de crema pastelera
* 1 ramita de menta

Milhojas con **fresas** y **arándanos**

Para 4 personas
Preparación: 1 hora
Cocción: 20 minutos

Preparación

1. Precalienta el horno a 200 °C. Corta las hojas de pasta brick para obtener 16 rectángulos de unos 15 x 10 cm. Colócalos por tandas sobre una bandeja de horno forrada con papel sulfurizado y pincélalos con la mantequilla reblandecida. Espolvoréalos con azúcar glas y hornéalos a 200 °C durante 4 minutos o hasta que la masa empiece a dorarse. Retíralos del horno y repite la operación hasta agotar todos los rectángulos de masa.

2. Lava los fresones, retira los pedúnculos y córtalos en láminas. Lava los arándanos, déjalos escurrir y rocíalos con el zumo de limón y cuatro cucharadas de azúcar glas. Déjalos macerar durante 15 minutos.

3. Dispón un rectángulo de masa en cada uno de los platos de servicio y cúbrelos con dos cucharadas de crema pastelera. Dispón encima una capa de fresones y arándanos. Repite la operación hasta obtener cuatro milhojas de tres capas cada uno. Cúbrelos con un rectángulo de masa y decóralos con arándanos, láminas de fresones y unas hojitas de menta. Espolvoréalos con azúcar glas y sírvelos enseguida.

Si no encuentras pasta filo o brick, sustitúyela por láminas de hojaldre. En este caso, hornea los rectángulos de hojaldre a 190 °C durante 20 minutos cubiertos con otra bandeja de horno para que no suban.

Mermelada
de **fresas**

Ingredientes

* ★ 1 kg de fresas o fresones
* ★ 750 g de azúcar
* ★ 1 limón

Para 1,5 kg de mermelada
Preparación: 25 minutos
Cocción: 1 hora

Preparación

1. Limpia los fresones bajo el grifo. Retírales los pedúnculos, córtalos por la mitad y déjalos escurrir en un colador.
2. Disponlos en una ensaladera grande y rocíalos con el zumo de limón. Cúbrelos con el azúcar, remueve y déjalos macerar durante un mínimo de 12 horas.
3. Vierte toda la fruta y los jugos de la maceración en una cazuela de fondo grueso. Cuece a fuego medio removiendo constantemente con una cuchara de madera y retira la espuma que se vaya formando en la superficie. Calcula más o menos 1 hora para alcanzar el punto justo de cocción.
4. Retira la mermelada del fuego y rellena tarros esterilizados en agua hirviendo. Ciérralos herméticamente y haz el vacío al baño María o dejándolos boca abajo durante toda la noche. Puedes conservar los tarros en un lugar fresco y oscuro hasta un año.

Si lo deseas, puedes añadir a la mermelada una cucharada de ralladura de limón. También puedes aromatizarla con un chorrito de brandy en los últimos minutos de cocción. Puedes utilizar esta mermelada como relleno de bizcochos, tartas, crêpes...

París-Brest con **fresas**

Ingredientes

* ★ 1 dl (1/2 vaso) de leche
* ★ 1 dl (1/2 vaso) de agua
* ★ 120 g de harina
* ★ 80 g de mantequilla
* ★ 3 huevos
* ★ 2 dl de nata para montar
* ★ 2 dl de crema pastelera
* ★ 1 cucharadita de azúcar
* ★ 1 bandeja pequeña de fresones
* ★ 2 cucharadas de azúcar glas
* ★ una pizca de sal

Para 6 personas
Preparación: 1 hora
Cocción: 35 minutos

Preparación

1. Lleva a ebullición la leche con el agua, la mantequilla, el azúcar y una pizca de sal en una cazuela de paredes altas. Cuando rompa a hervir, retira la cazuela del fuego y añade la harina de una vez. Remueve con una cuchara de madera y vuelve a colocar el recipiente en el fuego. Sigue removiendo hasta que la masa forme como una bola y se separe de las paredes de la cazuela.
2. Agrega los huevos de uno en uno sin dejar de remover. No incorpores el siguiente huevo hasta que el anterior no se haya absorbido.
3. Pon la masa en una manga pastelera con una boquilla rizada grande. Forra un molde de 24 cm de diámetro con papel de horno y forma dos círculos de masa. Dispón otro círculo encima y hornea en el horno precalentado a 220 °C durante 35 minutos. Retira esta corona del horno y déjala enfriar sobre una rejilla.
4. Monta la nata y mézclala con la crema pastelera. Lava los fresones y córtalos en láminas.
5. Corta la corona de pasta choux por la mitad en horizontal. Rellénala con la crema y distribuye encima los fresones. Cubre con la otra mitad, espolvorea con azúcar glas y sirve enseguida.

Frutos

El fruto es una legumbre alargada, generalmente verde, que se separa en dos valvas, de 3 a 12 centímetros de largo por de 1 a 2,5 centímetros de ancho, y que contiene de 7 a 12 semillas, los guisantes. Las semillas son verdes, y suelen ser lisas y esféricas. Las valvas de la vaina presentan unas láminas (pergaminos) que hacen que resulten incomestibles, excepto en el caso de los tirabeques.

Flores

Florece de abril a julio. Las flores son blancas. La corola posee 5 pétalos que adquieren una forma muy concreta que recuerda a una mariposa. Se agrupan en racimos de una a tres flores.

Hojas

Las hojas son compuestas, y están constituidas por de uno a tres pares de foliolos oblongos. Como característica especial, posee estípulas elípticas u ovaladas, a menudo dentadas. Se trata de una estructura laminar, que se forma a cada lado de la base de la hoja.

Si quieres comer guisantes al segar, en abril los has de sembrar.

guisante

gall **chícharo**

eusk **ilar**

cat **pèsol**

Los guisantes (*Pisum sativum* L. subsp. *sativum*) pertenecen a la familia de las Papilionáceas. Se trata de una planta originaria de Oriente Próximo con una distribución geográfica muy amplia. Se cultiva como anual. Es una planta herbácea de color verde azulado, sin pelos y con un tallo fistuloso. Casi todas las variedades son trepadoras, gracias a los zarcillos ramificados, que pueden alcanzar 2 metros de altura. Los tirabeques (*P. arvense*) se cultivan para obtener las vainas verdes, que quedan ideales en las sopas. Una subespecie, *Pisum sativum* L. subsp. *elatius* (M. Bieb.) Asch. et Graebn., de flores rosa violeta, se puede encontrar silvestre en los márgenes de los cultivos y los matorrales.

Las variedades de guisante se pueden clasificar según el porte de la mata, la forma de la vaina y del guisante o el uso culinario. Así, destacan negret (enano), aureola (enano), lincoln (altura media), voluntario (altura media), asterix (altura media), allegro (ciclo precoz, altura media), teléfono, televisión y mangetout, de vaina amarilla.

Los guisantes en tu huerto

Los guisantes, como todas las leguminosas, aportan muchos beneficios, tanto a nivel nutricional como en el huerto. Existen muchísimas variedades entre las que elegir: unas son mejores para comer los granos tiernos, otras se pueden degustar con vaina y otras se pueden comer en seco. Se elegirá una u otra dependiendo del clima o de nuestra preferencia en cuanto al sabor.

Siembra

En la mayoría de zonas de nuestro país, los guisantes son un cultivo típico de primavera, pues les gusta el clima temperado y no soportan el calor ni el frío. Si vivimos en zonas cálidas, se pueden sembrar en otoño, y seremos los primeros en degustarlos.

En zonas templadas, se siembran de febrero a mayo, y en zonas cálidas, también de octubre a diciembre. Si se sigue el calendario lunar, se deben sembrar en Luna ascendente y unos días antes de la Luna llena. Lo más fácil es sembrarlos de forma directa a su lugar definitivo, ya que sus raíces son muy delicadas y se puede tener problemas con los trasplantes. Se sembrará de 3 a 4 semillas por hoyo, colgadas unos 4 cm y separados unos 30 cm. Se dejará unos 60 cm entre hileras. Estas distancias son las estándares para la mayoría de variedades; existen variedades enanas y otras con un crecimiento vegetativo tan alto que necesitan tutores para aguantarse. En estos casos podemos variar estas distancias para que se adapten bien a nuestro espacio.

Lo ideal es sembrarlos en sazón, regando de manera abundante durante unos días antes de la siembra y de forma regular una vez hayan germinado.

Cultivo

Los guisantes tienen el gran beneficio, como todas las leguminosas, de fijar el nitrógeno atmosférico en el suelo. Por este motivo, son capaces de crecer en prácticamente cualquier lugar.

Necesitan una tierra fresca, mullida y bien drenada, evitando las aportaciones de materia orgánica fresca. Son un cultivo ideal para recuperar huertos y parcelas abandonadas, pues su crecimiento estructurará y aportará nutrientes a este suelo descompuesto.

No son plantas exigentes en cuanto a agua se refiere; incluso hay variedades muy adaptadas a los terrenos de secano. Como su crecimiento vegetativo es importante, se produce en primavera u otoño, y con el agua de la lluvia será suficiente. No obstante, se debe estar preparado para poder regar en caso de sequías extremas. En ese supuesto, se tienen que regar abundantemente una vez por semana. No soportan los encharcamientos ni un exceso de humedad.

Es ideal acolcharlos con paja para favorecer la frescura del suelo y evitar las malas hierbas. Si no se acolcha, se deben realizar escardas periódicas para ventilar el suelo y cortar las hierbas competitivas,

teniendo mucho cuidado de no dañar sus delicadas
y superficiales raíces.

Las variedades de porte bajo y las enanas
acostumbran a ser firmes y más robustas; el resto
necesita tutores para aguantarse y trepar.

Se puede clavar palos y ramas procedentes de la poda
de algún frutal del huerto, ya que ayudará a soportar
los tallos firmes y verticales. También se pueden
montar estructuras con tela metálica (la de las jaulas
de conejos es ideal), para colocarlas en vertical,
paralelas a la hilera y soportadas con firmes palos
de madera.

Siempre que sea posible se mantendrán rotaciones
de cultivo de 4 años. A pesar de que los guisantes
no agotan el suelo, es bueno hacerlo para mantener
ciclos estables de cultivo que mantienen
un equilibrio natural en el huerto.

Cuidado

Si hay épocas con fuertes
lluvias y después días de
sol intenso, es posible
que surjan problemas
criptogámicos, ya que los
hongos crecen con
rapidez en estas
condiciones. De forma
preventiva se puede rociar
las plantas con azufre al
amanecer. Si ya existe
algún ataque más
estabilizado se tratará las
plantas con cobre; en este
sentido, el caldo bordelés
es ideal.

Los guisantes son de los
primeros frutos que se
pueden recolectar en el
huerto en primavera;
los pájaros lo saben y no
desaprovecharán la
oportunidad. No obstante,

existen ciertas formas de ahuyentarlos, como hilos
o trapos de colores colgados en los tutores, o bien
utilizar la estructura metálica de soporte para
cubrirlos e impedir que las aves tengan acceso
a las tiernas hojas y vainas.

Otro problema es el gusano del guisante, que en
épocas de calor penetra en las vainas y ataca a los
tiernos granos; en este caso, lo ideal es la prevención
mediante las rotaciones de cultivo. Si ya existe el
ataque, se debe tratar con algún insecticida vegetal.

Recolección

Dependiendo de la variedad que se haya escogido
y del clima, se dispondrá de una cosecha antes
o después.

En climas templados, lo ideal es realizar siembras
periódicas cada 10 días para tener también una
cosecha escalonada.

Se recolectan cuando el grano está aún tierno para
comerlos crudos o congelarlos, aunque también se
pueden recolectar las vainas tiernas antes de que
formen el grano, e incluso es posible dejar secar las
vainas en la planta para obtener la semilla seca, para
degustarla hervida o para conservar la semilla.

Existen diferentes variedades, por lo se elegirá una
u otra en función de nuestros gustos.

En todo caso, hay que tener cuidado en el momento
de la recolección, pues se trata de plantas muy
sensibles, que pueden resultar dañadas.

Los guisantes son ricos en fósforo, potasio, vitaminas B$_1$ y C, proteínas y fibra, así como en glúcidos de absorción lenta con un alto poder saciante. Son unas legumbres energéticas que aportan más calorías cuando están frescos que cuando están en conserva. Contienen, asimismo, gran cantidad de antioxidantes que contribuyen a proteger el organismo. Son depurativos y diuréticos, ayudan a disolver el colesterol y regulan el tránsito intestinal.

Arroz con bacalao, alcachofas y guisantes

Para 4 personas
Preparación: 30 minutos
Cocción: 50 minutos

Ingredientes

* 400 g de arroz
* 200 g de bacalao
* 400 g de guisantes frescos
* 400 g de alcachofas
* 1 limón
* 2 dientes de ajo
* 1 tomate
* aceite de oliva
* 1 cucharadita de café de pimentón
* 1,5 l de agua
* sal
* unas hebras de azafrán

Preparación

1. Desala el bacalao y desmenúzalo. Limpia los guisantes frescos. Exprime el zumo del limón y reserva. Corta el tallo de las alcachofas, retira las hojas exteriores, divídelas en 4 trozos y ponlas en remojo con agua con el zumo de limón. Pela los dientes de ajo y pícalos. Pica también el tomate.

2. Calienta el aceite en una paellera. Fríe los ajos y, cuando estén dorados, añade el bacalao y el tomate. Deja cocer unos 10 minutos e incorpora el pimentón, la sal y el agua hirviendo. Remueve. A continuación, agrega las verduras a la cocción y el azafrán y deja hervir unos 20 minutos más a fuego medio hasta que el caldo haya reducido.

3. Incorpora el arroz, cuece a fuego vivo durante 10 minutos y luego ve reduciendo progresivamente el fuego entre 8 y 10 minutos más. Verifica el punto de cocción del arroz y sala si es necesario. Retira la paellera del fuego cuando el arroz esté cocido. Deja reposar 5 minutos y sirve.

Estofado de **congrio** con **guisantes**

Para 4 personas
Preparación: 15 minutos
Cocción: 40 minutos

Ingredientes

* 1 kg de congrio
* 1 diente de ajo
* 2 cebollas
* 3 chalotas
* 1 hoja de laurel
* 8 cucharadas soperas de aceite
* 1 cucharada sopera de brandy
* 1 kg de guisantes frescos
* harina
* cilantro picado
* sal
* pimienta

Preparación

1. Pela los ajos y retira el germen para que el plato resulte más digestivo. Pela y corta las cebollas y las chalotas en juliana.
2. Vierte el aceite en una cacerola, caliéntalo y pocha las hortalizas. Corta el congrio en rodajas, salpimiéntalo, enharínalo ligeramente y agrégalo a la cacerola. Fríe el pescado por ambos lados para que adquiera un poco de color.
3. Agrega a la cacerola un vaso de agua, el brandy y la hoja de laurel, y deja cocer unos 20 minutos.
4. Si tienes guisantes frescos, desgránalos mientras se cocina el congrio.
5. Transcurrido el tiempo indicado de cocción, incorpora los guisantes y deja cocer unos 10 minutos más.
6. Sirve el congrio caliente acompañado de los guisantes y rociado con una cucharada de la salsa. Corona el plato adornándolo con un poco de cilantro picado.

Crema de **guisantes** con **salvia**

Para 4 o 6 personas
Preparación: 20 minutos
Cocción: de 35 a 40 minutos

Ingredientes

* 1 patata
* 1 puerro
* 25 g de mantequilla
* 1 cucharada sopera de aceite
* 300 g de guisantes desgranados (frescos o congelados)
* 1 pastilla de caldo de ave
* 1 cucharada sopera de hojas de salvia fresca
* 10 cl de nata líquida
* sal
* pimienta recién molida

Preparación

1. Pela la patata, lávala y córtala en dados pequeños. Limpia bien el puerro para eliminar toda la tierra, retira la parte más verde y corta el resto en rodajas finas.
3. Derrite la mantequilla en una sartén, añade las rodajas de puerro y rehoga a fuego lento sin que lleguen a dorarse. Incorpora los dados de patata y rehoga durante 5 minutos más, removiendo bien.
4. Lleva el agua a ebullición en una cacerola e incorpora las patatas con el puerro, los guisantes, la pastilla de caldo de ave desmenuzada y las hojas de salvia. Deja cocer durante 20 minutos.
4. Retira unos cuantos guisantes con una espumadera y resérvalos. Tritura el resto de la preparación. Pásala por un pasapurés para eliminar las pieles de los guisantes. Incorpora la nata líquida y vuelve a batir para que se mezcle bien.
5. Sirve la crema de guisantes en vasitos individuales con los guisantes que habías reservado. También puedes añadir jamón crujiente bien cortado.

Albahaca ➘

cat alfàbrega **eusk** basiliko **gall** asubiote

La albahaca (*Ocimum basilicum* L.) pertenece a la familia de las Labiadas. Es una planta originaria de Oriente que se cultiva como anual. Carece de pelos, y tiene unas hojas opuestas, ovaladas y dentadas. Las espigas florales son terminales y las flores son de color blanco. Existen numerosas variedades con aromas muy diversos.

Menta ➚

cat menta **eusk** menda **gall** menta

La menta (*Mentha spicata* Crantz, *M. viridis* L.) pertenece a la familia de las Labiadas. Se trata de una hierba perenne que desaparece en invierno y que vuelve a brotar en primavera. Tiene unas hojas lanceoladas y dentadas, y unas flores de color blanco rosado. Cuenta con numerosas especies y variedades que complican la clasificación.

➘ Estragón

cat estragó **eusk** estragoi

El estragón (*Artemisia dracunculus* L.) pertenece a la familia de las Compuestas. Es originario de Asia y Rusia y anual. La hierba aromática que se comercializa es una variedad francesa que vuelve a brotar cada año. Las hojas son alargadas, con los nervios marcados y el margen entero.

Laurel ➘

cat llorer **eusk** ereinotz **gall** loureiro

El laurel (*Laurus nobilis* L.) es un arbusto o árbol dioico o polígamo de la familia de las Lauráceas. Sus hojas son perennes y coriáceas, duras, brillantes, lanceoladas y enteras. Las flores aparecen en umbelas axilares con 4 tépalos blanquecinos. El fruto es una baya negra.

➘ Tomillo

cat farigola **eusk** ezkai **gall** tomiño

El tomillo (*Thymus vulgaris* L.) pertenece a la familia de las Labiadas. Es una mata leñosa de escasa altura, aromática y muy ramificada. Las hojas son oblongo lineares. Las flores se hallan dispuestas en glomérulos densos con una corola blanco rosada.

El que siembra **perejil** en **mayo** tiene perejil para **todo el año**.

↖ *Romero*
cat romaní **eusk** erromero **gall** romeu

El romero (*Rosmarinus officinalis* L.) pertenece a la familia de las Labiadas. Se trata de un arbusto de ramas leñosas que desprenden la corteza. Las hojas son alargadas, duras, curvadas hacia el envés y peludas en esta cara inferior. Las flores tienen un color azul pálido, a veces muy intenso.

DICE EL REFRANERO

salvia →
cat sàlvia **eusk** salbia **gall** kuia

La salvia (*Salvia officinalis* subsp. *lavandulifolia* [Vahl] Gams) pertenece a la familia de las Labiadas. Se trata de una planta leñosa, que se desarrolla como una mata baja. Tiene unas hojas pequeñas, de color verde gris, oblongas lanceoladas, y con unas flores de un color rosa muy pálido.

↖ *Perejil*
cat julivert **eusk** perrexil **gall** perexil

El perejil (*Petroselinum sativum* Hoffm.) pertenece a la familia de las Umbelíferas. Es una planta herbácea bianual cultivada que tiene unas hojas muy divididas y unas umbelas largas y pedunculadas. Existen otras especies, como el perejil rizado (*P. crispum*).

Hierbas aromáticas

Las hierbas aromáticas en tu huerto

Las hierbas aromáticas y medicinales son imprescindibles para favorecer un buen equilibrio en el huerto. Aportarán un gran número de beneficios tanto a nivel de consumo como en cuanto a cultivo.

Sus olores, colores y propiedades van a atraer a muchísimos insectos, que ayudarán a crear una gran biodiversidad en el huerto. Gracias a ello, la posibilidad de que existan plagas muy dañinas en los cultivos se minimiza de forma muy notable, pues las cadenas tróficas no se rompen y el crecimiento desmesurado de una determinada plaga se controla de forma natural y con un mínimo esfuerzo.

Lo ideal es destinar una zona del huerto para diseñar un pequeño jardín aromático, aunque también se pueden plantar asociadas e intercaladas con determinadas hortalizas. Debido a la gran diversidad de familias a las que pertenecen las hierbas aromáticas, será interesante estructurar el jardín de forma que permita hacer rotaciones anuales con las plantas de ciclo corto y establecer lugares fijos para las plantas que van a permanecer diversos años en el mismo lugar.

Albahaca

La albahaca ayuda a controlar diversos tipos de plagas, sobre todo cuando se planta entre las solanáceas.

Su cultivo es muy fácil. Se debe sembrar en un semillero protegido a finales de invierno para trasplantarla a su lugar definitivo en primavera.

Necesita un suelo rico en materia orgánica y un riego abundante. Se puede cortar el ápice principal para favorecer la vegetación y retrasar la floración, y de este modo podremos recolectar hojas más grandes y durante más tiempo. Es una planta anual que se secará después de la floración a mediados de otoño en climas fríos; en el caso de residir en una zona en la que el clima sea más templado aguantará durante más tiempo.

Estragón

El estragón es una planta perenne que, en condiciones normales, va a vivir unos cuantos años en nuestro huerto. Debe ubicarse en un lugar soleado y con un suelo fresco y rico en materia orgánica.

Se tiene que sembrar directamente a su lugar definitivo en primavera, dejando unos 30 cm de espacio entre plantas. Florece en verano, y sus hojas se deben recolectar antes de la floración. Lo ideal es recolectar a primera hora de la mañana para que la planta conserve todo su aroma. Es conveniente realizar una poda severa en otoño para que en primavera brote con más fuerza.

Laurel

El laurel es un árbol perenne que, en condiciones meteorológicas favorables, puede alcanzar gran altura. Tolera bien el frío, aunque las fuertes heladas pueden dañarlo severamente.

Se adapta a cualquier tipo de suelo y no es muy exigente en cuanto a riego. Se tiene que regar de manera abundante en las primeras fases de crecimiento y, una vez enraizado, puede tolerar incluso las sequías.

Lo sembraremos por esquejes durante el verano, aunque también se puede trasplantar alguno de los brotes que nacen alrededor de un laurel ya crecido.

Menta

La menta es una planta vivaz que se extiende de forma abundante, siempre y cuando disponga de las condiciones favorables. Necesita riegos abundantes.

Se adapta a cualquier tipo de suelo si tiene buena materia orgánica y se cultiva en condiciones de frescor. Se debe sembrar en un semillero protegido a finales de invierno para trasplantarla a inicios de primavera, aunque unas raíces son suficientes para su desarrollo y extensión. Su intenso crecimiento vegetativo hace que se pueda realizar la primera poda a inicios de verano. No hay que preocuparse si desaparece durante todo el invierno, ya que en primavera volverá a brotar.

Perejil

Al perejil le gustan los suelos frescos y bien mullidos, con una buena dosis de materia orgánica, y no tolera los suelos arcillosos. Se puede sembrar de forma directa a su lugar definitivo a finales de invierno en climas templados y a inicios de primavera en zonas más frías. En verano necesita abundante riego y no le gusta una exposición directa al sol, por lo que se debe elegir un lugar en semisombra. Podemos ir recolectando sus hojas a medida que las necesitemos. El perejil florece al segundo año de plantación.

Romero

En nuestro huerto, el romero va a atraer a un gran número de insectos que nos ayudarán a que aumente la biodiversidad. Necesita una buena exposición solar y es una planta perenne, por lo que escogeremos uno de los lugares privilegiados de nuestro jardín aromático. Podemos sembrarlo en semillero protegido durante el invierno para trasplantarlo en primavera, aunque el método más habitual es sembrarlo por esquejes durante la primavera o el otoño.

Se adapta a la mayoría de suelos y no necesita demasiado riego; en secano, acostumbra a tener más principios activos.

Recolectaremos la sumidad floral en verano justo cuando florece.

Salvia

La colorida y aromática floración de la salvia atraerá gran cantidad de insectos beneficiosos para nuestro huerto. La podemos sembrar en un semillero protegido a finales de invierno, para trasplantarla en primavera. Si ya disponemos de alguna salvia adulta, podemos intentar que se multiplique por división de pies. Es una planta extremadamente rústica, que se adapta a cualquier tipo de suelo y que tolera la sequía. Si la ubicamos en un lugar no muy expuesto puede aguantar muy bien las heladas intensas. Florece en verano, momento en que se pueden recolectar las hojas para secarlas, antes de que aparezcan las primeras flores.

Tomillo

El tomillo es una planta extremadamente rústica que se adapta a la mayoría de suelos, aunque los prefiere calcáreos. Necesita una total exposición al sol y no tolera los encharcamientos. Una vez ha enraizado soporta mejor la sequía que un exceso de agua. Se debe sembrar en un semillero durante la primavera, y la mejor época para trasplantarla es durante el otoño. También se puede multiplicar por división de pies en esta misma época. Florece de principios a finales de primavera. Aunque se deben recoger las sumidades florales durante la floración, también se puede disfrutar de ellas durante todo el año.

La albahaca es un buen digestivo y muy útil en casos de gastritis. Refuerza el sistema nervioso.

El estragón ayuda a mejorar la digestión; así pues, está indicado en casos de dolores estomacales, de falta de apetito o de acidez.

El laurel es un excelente digestivo y se recomienda su uso cuando es necesario estimular el apetito. Posee funciones protectoras del hígado y facilita la digestión de las grasas.

La menta es antiespasmódica y analgésica, así como un estimulante del aparato digestivo. Se recomienda en digestiones pesadas, náuseas, vómitos y dolores de estómago.

El perejil posee propiedades digestivas y es un excelente diurético y anestésico.

El romero posee propiedades antioxidantes y antiinflamatorias. También es conocida su acción como estimulante y tonificante hepático. Es adecuado en casos de fatiga general.

La salvia es un buen tónico de las vías digestivas y del sistema nervioso.

El tomillo es un excelente antiséptico y se recomienda cuando es necesario eliminar toxinas del organismo. Facilita la digestión y, además, estimula el apetito.

perejil · estragón · laurel · menta · romero · salvia · tomillo

Ingredientes

* 2 dientes de ajo
* 80 g de hojas de albahaca (o un ramito de albahaca fresca)
* 25 g de piñones
* 80 ml de aceite de oliva
* 60 g de parmesano rallado
* sal
* pimienta

Salsa al pesto

Preparación: de 5 a 10 minutos

Se trata de una salsa muy fácil de preparar y sirve para acompañar platos de pasta, aunque también da muy buen resultado en preparaciones con pescado, ensaladas, setas o con lo que se te ocurra. Puedes prepararla con un mortero o con una batidora. Si duplicas las proporciones, puedes conservarla en el frigorífico para utilizarla en más de una ocasión; solo tienes que tener la precaución de ponerla en un bote de cristal e ir cubriéndola con un chorro de aceite cada vez que la uses.

Preparación

1. Pela los dientes de ajo, retira el germen del centro y pícalo muy fino.
2. Si la albahaca es fresca, lávala bajo el grifo y sécala con un paño.
3. Pasa por la batidora los ajos, la albahaca, los piñones y la mitad del aceite de oliva.
4. Incorpora muy despacio el queso parmesano y el aceite restante. Salpimienta.

Cordero salteado con ajo y hierbas aromáticas

Para 4 personas
Preparación: 10 minutos
Cocción: 20 minutos

Preparación

1. Elige dientes de ajo nuevos, que son más aromáticos que los viejos. Pélalos y ponlos en un cazo con los 15 cl de agua. Blanquéalos con un hervor suave durante unos 10 minutos.
2. Mientras tanto, lava las hierbas, límpialas y pícalas.
3. Corta la carne en dados grandes (o pide al carnicero que lo haga). Calienta el aceite en una sartén y dora los dados de cordero a fuego vivo. Remuévelos a menudo para que se doren por todos los lados. Salpimienta. Transcurridos 10 minutos, el cordero estará listo, con el centro aún rosado.
4. Escurre los dientes de ajo, que deben estar blandos, y aplástalos en un plato con la ayuda de una cuchara. Incorpóralos a la sartén con su agua de cocción, además de la pastilla de concentrado de carne, que habrás desmenuzado con un cuchillo. Remueve y cuece 2 minutos más.
5. Agrega las hierbas picadas, deja que se impregnen de vapor y sirve enseguida. Acompaña el plato con calabacín gratinado o una sémola de cuscús con hierbas.

Ingredientes

* 10 o 12 dientes de ajo
* 15 cl de agua
* 1 ramillete de finas hierbas frescas (perejil, perifollo, estragón, cebollino)
* 1 cucharada sopera de aceite de oliva
* 1 paletilla de cordero deshuesada de unos 750 g
* 1 pastilla de concentrado de carne
* sal
* pimienta recién molida

Ingredientes

* 4 cl de ron blanco cubano
* 10 hojas de menta fresca
* 2 cucharaditas de café de azúcar en polvo
* 2 cl de zumo de lima natural
* 6 cl de agua con gas
* 4 o 5 cubitos de hielo picados

Mojito

Preparación: 5 minutos

Preparación

1. Lava las hojas de menta con agua fría y ponlas dentro de un vaso largo.
2. Con una mano de mortero, machaca las hojas de menta e incorpora el azúcar en polvo.
3. Añade el hielo, el ron blanco, el zumo de lima y el agua con gas. Remueve unos segundos con una cucharilla y sirve.

Frutos

El fruto es una vaina que se separa en dos valvas, las legumbres, que contienen las semillas. Mientras no están maduras son verdes y tiernas y se endurecen al envejecer. Las formas y medidas son diversas según las variedades; así, pueden ser rectas, curvadas o muy curvadas. El color de las vainas es verde, pero según la variedad también pueden ser amarillas, moradas, etcétera. Las semillas pueden tener muchos tamaños y colores, desde el blanco, el amarillo, el naranja, el rojo, el marrón y el negro. Las semillas pueden tener forma de riñón, o ser ovaladas o esféricas.

Hojas

Las hojas están compuestas por tres foliolos, son ligeramente onduladas y tienen un margen entero, de diferentes tamaños, y de color verde.

Flores

Las flores son blancas. La corola posee 5 pétalos, colocados de una forma muy concreta que recuerda a una mariposa.

judía de vaina amarilla

Garbanzos y **judías** hacen buena compañía.

Las judías (_Phaseolus vulgaris_ L.) pertenecen a la familia de las Papilionáceas. Es una planta originaria de Centroamérica y Sudamérica, con una distribución geográfica tropical. Se cultiva como anual. Las alubias, los frijoles o las habichuelas proceden de una hierba que puede ser enana, con la vaina más estrecha y redondeada, o con unos tallos trepadores que pueden alcanzar 4 metros de altura, en cuyo caso la vaina es gruesa y aplanada. Se puede cultivar para obtener las judías verdes como verdura o para recolectar las semillas secas para cocinar. Existen diferentes especies, como, por ejemplo, el garrafón con el que se cocina la paella valenciana (_P. lunatus_), o la judía pinta de Tolosa (_P. coccineus_), de color rojo o morado y de forma arriñonada.

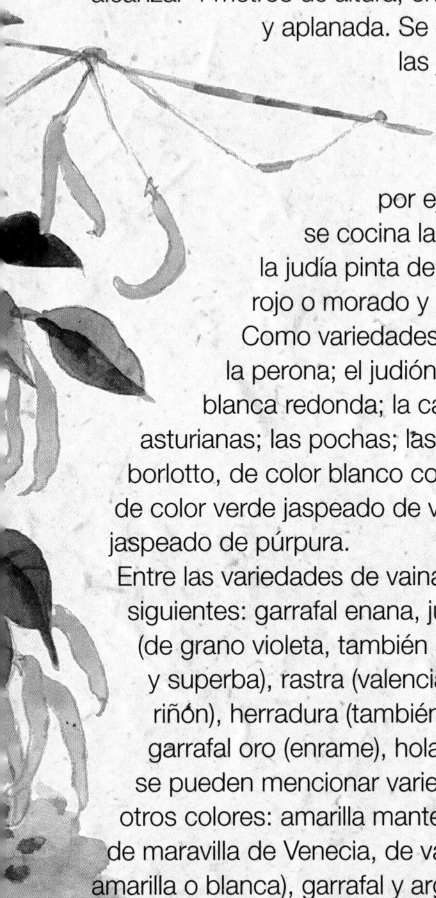

Como variedades de _P. vulgaris_ se encuentra la perona; el judión del Barco de Ávila; la blanca redonda; la carnosa y planchada; las fabas asturianas; las pochas; las judías aplanadas blancas; las borlotto, de color blanco con un jaspeado rojo; las marbel, de color verde jaspeado de violeta; u obelisco, de color verde jaspeado de púrpura.

Entre las variedades de vainas verdes se pueden citar las siguientes: garrafal enana, jumbo, kora, mocha, bobby (de grano violeta, también se denominan superviolet y superba), rastra (valencianas, granos en forma de riñón), herradura (también se llama garrafal de la hoz), garrafal oro (enrame), holandesa (conserva). Asimismo, se pueden mencionar variedades de judías con vainas de otros colores: amarilla mantecosa, oro del Rin (sinónimo de maravilla de Venecia, de vaina amarilla), de cera (vaina amarilla o blanca), garrafal y argel o buenos aires (vaina roja).

judía

gall feixón

euskleka

cat mongeta

Las judías en tu huerto

Las judías son una de las plantas pertenecientes a la familia de las leguminosas que gozan de más aprecio. Su infinidad de variedades, su consumo en fresco o en seco y sus beneficios para la salud humana y de la tierra hacen que siempre esté presente en nuestros huertos.

siembra

Debido al gran número de variedades distintas, se deben escoger las semillas dependiendo de nuestro gusto. Existen variedades para comer tiernas o secas, de mata baja, de mata alta y de distintos sabores, colores y propiedades.

En climas templados, se pueden sembrar a partir de marzo, y en climas más fríos, de abril a mayo. En todo caso, se deben evitar siempre las heladas tardías.

Lo más recomendable para las judías es la siembra directa a su lugar definitivo, pues son sensibles al trasplante si proceden de un semillero.

Conviene sembrarlas sin riego. Lo ideal es hacer un riego de fondo unos días antes de sembrar, puesto que de esta manera la tierra estará preparada. En estas condiciones, las semillas germinarán sin problemas.

Les gustan los climas cálidos, templados y con una buena exposición solar, ya que necesitan que el suelo acumule calor para favorecer el enraizado.

Las variedades de mata baja se siembran en hoyos, colgadas unos 4 cm, y separadas 30 cm entre ellas y unos 60 cm entre hileras.

Las variedades de porte alto necesitan un poco más espacio, pues precisan un tutor para trepar; en este caso, se siembran un poco más espaciadas.

Si se quiere consumir judías tiernas, es interesante realizar siembras escalonadas, pues así la cosecha llega con regularidad y no se acumulan.

cultivo

Las judías, como todas las leguminosas, no precisan abonado, pues en sus raíces viven en simbiosis unas bacterias nitrificantes capaces de fijar el nitrógeno atmosférico. No solo se nutren ellas, sino que también abonan y equilibran el suelo por donde pasan.

Necesitan un suelo bien mullido y bien trabajado. Debido a su poder nitrificante, se evitará la aportación de estiércoles frescos, así como un exceso de materia orgánica. Esto crearía un importante crecimiento vegetativo que facilitaría la aparición de plagas y enfermedades.

No necesitan un excesivo riego, pero no pueden permanecer secas. Si se cultiva judías tiernas, la falta de agua endurece las vainas y facilita la creación de hilos.

Simplemente se debe regar poco durante la floración, ya que un exceso de agua en este momento podría dificultar el cuajado.

El suelo se puede acolchar con paja para favorecer la retención de humedad y para que permanezca suelto y ventilado. Si no se puede realizar el acolchado, se tienen que realizar escardas superficiales para evitar dañar las frágiles raíces de las judías.

Se trata de plantas que acostumbran a tener un crecimiento vegetativo muy abundante pero son

Cuidado

Si se mantienen las condiciones de humedad y equilibrio del suelo, las judías no van a presentar ningún problema.

Pueden ser atacadas por los pulgones si el suelo tiene un exceso de nitrógeno. Se evitará cualquier aportación externa de materia orgánica. Es posible beneficiarse de la ayuda de las mariquitas para combatir los pulgones.

También es susceptible de sufrir una enfermedad provocada por hongos, llamada *antracnosis*, que se hace patente mediante manchas negras en las vainas y hojas. Se puede tratar de forma preventiva con decocción de cola de caballo, o combatirla de manera activa con caldo bordelés.

Recolección

Dependiendo de la variedad y de su ciclo, se tardará más o menos tiempo en recolectar. Por lo general, las variedades para su consumo en tierno llegan a los 2 meses de la siembra. Las de consumo en seco o para guardar semilla estarán listos en aproximadamente 4 meses.

Las variedades tiernas se deben recoger a mano cuidadosamente y es necesario estar atentos de que estén en su punto, pues con rapidez formarán grano. Las variedades para consumo en seco no deben recolectarse hasta que las vainas estén del todo secas.

extremadamente frágiles. Hay que tener cuidado con la manipulación de la planta para no dañar los tallos y las hojas.

Las variedades de mata baja acostumbran a ser más resistentes y vigorosas debido a su porte bajo. El resto necesita tutores como medio de soporte. En este caso, se procederá a encañar las judías del mismo modo que las tomateras. A diferencia de estas últimas, las judías trepan solas por las cañas, y algunas variedades pueden alcanzar prácticamente 3 m de altura, por lo que es necesario construir una estructura bien sólida.

A pesar de que las judías no agotan el suelo, sino todo lo contrario, se tienen que realizar rotaciones de 4 años. Con ellas, se mantienen los ciclos equilibrados en el huerto, lo que favorece el equilibrio del suelo y dificulta la aparición de plagas. Las judías se pueden asociar con maíz y calabacines o calabazas. Esta típica asociación mantiene un equilibrio casi perfecto entre requisitos y aportaciones nutricionales.

Se puede volver a plantar judías en el lugar donde estaban las solanáceas, ya que estas últimas suelen agotar mucho el suelo y las judías ayudan a restablecer el equilibrio.

Las judías verdes son las hortalizas de régimen por excelencia, puesto que su aporte calórico es muy bajo. Se pueden comer como plato único si se acompañan con otras verduras, con féculas o con proteínas animales. Son muy digestivas y una fuente excelente de potasio, calcio y vitaminas. Su elevado aporte en fibra contribuye también a regular el tránsito intestinal. Asimismo, facilitan la absorción de los glúcidos y lípidos de los demás alimentos.

Ingredientes

* 300 g de judías verdes planas
* 1 rulo de queso de cabra
* 2 tomates
* 1 cucharada de pipas de girasol peladas

Para la vinagreta de soja, miel y mostaza

* 4 cucharadas de aceite
* 1 cucharada de miel
* 1 cucharada de salsa de soja
* 1 cucharada de mostaza

Timbal de **judías verdes** y **queso** de **cabra**

Para 4 personas
Preparación: 35 minutos + reposo
Cocción: 7 minutos

Preparación

1. Lava las judías verdes y retira las puntas y los hilos laterales. Corta cada una de ellas a lo largo en tres tiras finas. Hiérvelas en un cazo con agua hirviendo y sal durante 6 minutos. Enfríalas en un colador bajo el grifo para detener la cocción y fijar el color, escúrrelas y resérvalas.
2. Lava los tomatitos y córtalos en dados pequeños. Corta el rulo de queso de cabra para obtener cuatro cilindros del mismo tamaño.
3. Forra cuatro flaneras individuales o tazas con papel film y dispón las judías verdes en los laterales formando un nido. Rellena con el cilindro de queso de cabra, los daditos de tomate y con más tiras de judías verdes. Presiona ligeramente y déjalos reposar en la nevera durante 30 minutos. Desmolda las flaneras con cuidado sobre los platos de servicio, de forma que quede como un pequeño timbal.
4. Bate los ingredientes de la vinagreta hasta obtener una salsa espesa. Aliña los timbales con la vinagreta y esparce las pipas de girasol.

Si lo deseas, retira la corteza del queso de cabra y desmenúzalo. Luego, rellena el timbal de la misma forma. Para una preparación más sofisticada, añade a cada timbal una loncha de salmón ahumado cortada en tiras finas.

Ingredientes

* 4 huevos
* 200 g de judías verdes
* 200 g de gambas
* 1 diente de ajo
* 1 chorrito de brandy
* una pizca de pimentón
* 2 ramitas de perejil
* 130 ml de aceite de oliva
* sal
* pimienta

Judías verdes con gambas y huevo frito

Para 4 personas
Preparación: 10 minutos
Cocción: 15 minutos

Preparación

1. Retira el extremo de las judías, córtalas en tiras a lo largo para que sean más finas y cuécelas en agua hirviendo con sal durante 5 o 6 minutos. Escúrrelas y refréscalas con agua fría.
2. Pela las gambas y separa la cabeza. Calienta tres cucharadas de aceite en una sartén y cocina las colas de las gambas unos segundos por cada lado. Sálalas ligeramente, retíralas y resérvalas. En la misma sartén, agrega las cabezas y las cáscaras de las gambas y el ajo picado, condimenta con sal y pimentón y saltea durante un minuto. Rocía con el brandy y 100 ml de agua, deja que se evapore un par de minutos y retíralo del fuego. Pasa todo por un colador chino para obtener la salsa.
3. Vierte el aceite restante en la sartén, fríe los huevos de uno en uno hasta que la clara esté cuajada y sálalos.
4. Calienta las judías en el microondas o al vapor, distribúyelas en platos y reparte encima las gambas y el huevo. Rocía con la salsa, espolvorea con un poco de perejil y sirve.

Judías verdes con daditos de atún y sésamo

Para 4 personas
Preparación: 15 minutos
Cocción: 7 minutos

Preparación

1. Lava las judías, retira las puntas y cuécelas en una cazuela con agua hirviendo salada durante 7 minutos. Luego, refréscalas bajo el grifo para detener la cocción y déjalas escurrir.
2. Lava el tomate y córtalo en dados pequeños. Corta el atún en daditos del mismo tamaño. Pica los cacahuetes groseramente en el mortero sin que se lleguen a pulverizarse.
3. Mezcla los ingredientes de la vinagreta y bátelos con unas varillas hasta conseguir una salsa emulsionada.
4. Dispón las judías en una ensaladera con los daditos atún y de tomate. Espolvorea con las semillas de sésamo y aliña con la vinagreta de cacahuetes. Sirve enseguida.

Ingredientes

* 250 g de judías verdes finas
* 1 tomate de ensalada
* 100 g de atún fresco en una rodaja
* 2 cucharadas de sésamo tostado
* pimienta recién molida
* sal

Para la vinagreta de cachuetes

* 4 cucharadas de aceite de oliva
* 1 cucharada de vinagre de Jerez
* 1 cucharada de salsa de soja
* 1 cucharada de cacahuetes picados
* una pizca de sal

Para que las judías queden al dente y mantengan su bonito color conviene detener la cocción refrescándolas bajo el grifo. Puedes utilizar tres tipos diferentes de sésamo: blanco, tostado y negro. Si no tienes atún fresco a mano, sustitúyelo por un latita de atún en aceite o por unas lonchas de salmón ahumado. Para preparar una vinagreta de forma práctica y limpia utiliza un bote vacío. Introduce todos los ingredientes, tápalo, agita con fuerza.

lechuga iceberg

lechuga romana

lechuga hoja de roble

lechuga batavia

lechuga trocadero

Frutos

El fruto es un aquenio y comprende numerosas semillas acompañadas de un vilano, con pelos y plumoso, que ayuda en su diseminación.

Flores ↘

La familia de las compuestas se caracteriza por contener varias flores, que se agrupan en los denominados *capítulos florales* y que dan la impresión de que se trata de una única flor. En el momento de florecer surge un tallo a partir del cual se disponen las hojas y las flores, estas últimas de color amarillo, y que se agrupan.

↗ Hojas

Las hojas son simples, planas u onduladas, de margen entero o dividido, y más o menos gruesas. Poseen diferentes texturas, tamaños y colores, aunque normalmente son verdes.

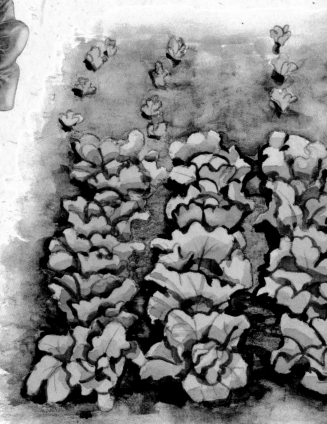

Entre **col** y col, **lechuga**.

La lechuga (*Lactuca sativa* L.) pertenece a la familia de las Compuestas. Es una planta originaria de Oriente. Esta herbácea anual, con numerosas variedades, tiene las hojas agrupadas de forma más o menos densa, formando cogollos, o más sueltas, en cuyo caso se deben atar. Cuando se cortan los tallos, desprende una sustancia lechosa.

Las variedades más consumidas y cultivadas son las de hoja alargada con bordes enteros y un nervio central marcado. Entre ellas hallamos la lechuga larga, también denominada *romana*; baby, que forma un cogollo de hojas densas; trocadero; iceberg; los cogollos de Tudela; batavia; grandes lagos; hoja de roble; las de hojas sueltas de colores rojizos, que se cortan, como lollo rossa y red salade.

En invierno también se consume la escarola o maravilla.

lechuga

gall leituga

eusk uraza

cat enciam

Las lechugas en tu huerto

La lechuga es una hortaliza típica de huerto. Su facilidad de cultivo y su frescor
en nuestras ensaladas hacen que se convierta en un cultivo presente casi
durante todo el año.

Siembra

Existen múltiples variedades de lechuga, de manera
que si los cultivos son escalonados se pueden plantar
durante todo el año. En los climas fríos, no obstante,
durante los meses centrales de invierno, su cultivo
resulta un poco más difícil.

En todo caso, existen variedades muy adaptadas
al frío, junto a otras acostumbradas al calor.

Las semillas de lechuga tienen un alto poder de
germinación y nacen en apenas 10 días.

Se puede clasificar las lechugas en primaverales,
estivales e invernales. Cada una se adapta mejor a unas
u otras condiciones climáticas.

Las variedades de primavera se siembran de septiembre
a enero, las de verano, de abril a junio, y las de
invierno, de finales de agosto a septiembre.

Si se tiene en cuenta el clima, normalmente se pueden
sembrar al aire libre, excepto las variedades de
primavera, en caso de estar en climas fríos.

Se siembra a voleo sobre un manto de tierra orgánica
bien descompuesta, y después se rastrilla con cuidado
para cubrir un poco las semillas. Una vez germinadas,
se realizará un aclarado, dejando 3 cm de espacio entre
plántulas.

Es necesario ser constantes con el riego en las primeras
fases de crecimiento de las plántulas, pues son muy
sensibles a la sequía y se podrían marchitar con rapidez
por falta de agua.

Trasplante

Cuando las lechugas tienen de 4 a 5 hojas formadas se
deben trasplantar a su lugar definitivo, dejando unos
25 cm de espacio entre ellas.

Se tiene que preparar una tierra bien mullida, fresca y
con un buen drenaje. Aunque las lechugas no son muy
exigentes en cuanto a nutrientes, se debe añadir
un compost bien descompuesto para favorecer
un crecimiento equilibrado.

La mayoría de lechugas tienen un ciclo vegetativo muy
rápido, por lo que una buena manera de escalonar
el cultivo consiste en repicar las plántulas a su lugar
definitivo de forma progresiva, dejando un tiempo
aproximado de 10 días entre un trasplante y otro.
Así se recolectan de forma escalonada y no se
desperdician.

Se tiene que procurar regar de manera abundante para
favorecer un rápido enraizamiento.

Se pueden cubrir con una malla durante las primeras fases de crecimiento, pues de lo contrario, los caracoles y las babosas acabarían con las plantas en poco tiempo.

Cultivo

Las lechugas son de las plantas más fáciles de cultivar, ya que prácticamente no presentan problemas, son poco exigentes en cuanto a nutrientes y su rápido crecimiento hace que la tarea de eliminar malas hierbas no constituya un problema.

Necesitan un aporte constante de agua. La falta de riego en las épocas de calor las marchitaría en pocas horas.

Son plantas que precisan una buena exposición solar durante la primavera y el otoño, pero en verano prefieren un poco de sombra, pues en caso de demasiadas horas de sol y calor se espigan rápidamente para formar la flor, cosa que solo resulta interesante cuando se desea obtener semillas.

Prefieren el riego por goteo, evitando el encharcamiento que podría ocasionar problemas de podredumbre en las hojas exteriores.

Algunas variedades conviene atarlas presionando un poco el ojo central, ya que de este modo se favorece la blancura y ternura del cogollo. Esta operación debe realizarse unas semanas antes de recogerlas.

El acolchado siempre es una buena medida para favorecer la retención de humedad. En el caso de las lechugas, a veces puede traer algún problema, pues debajo de la paja se esconden caracoles y babosas, y el porte bajo de estas hortalizas hace que sean de fácil alcance.

Cuidado

Las lechugas no acostumbran a presentar demasiados problemas. Principalmente, el ataque de caracoles y babosas suele ser el más peligroso. En este caso, lo ideal es rodear las plantas con ceniza seca, y los caracoles no pasarán. Se debe ser constante en la reposición de la ceniza, ya que cuando está mojada ya no sirve de barrera para estos pequeños devoradores.

Las lluvias o el riego por aspersión nos pueden traer problemas de podredumbre del cogollo central y de las hojas interiores, de modo que se debe evitar siempre que sea posible este tipo de riego.

Se pueden rociar con purín de ortiga para favorecer el desarrollo foliar y procurar un crecimiento vegetativo más equilibrado y sano.

A pesar de que tienen pocos requerimientos nutricionales, se procurará mantener una rotación de cultivo de 4 años, simplemente para mantener el equilibrio edáfico y disminuir el riesgo de plagas.

En su lugar, se pueden plantar cebollas, apios y zanahorias. La lechuga es una planta muy amigable que se puede asociar a cualquier otra familia.

Recolección

La mayoría de las lechugas suelen tener un ciclo de cultivo que no llega a los 2 meses, de forma que se dispone de ellas con rapidez.

Su punto óptimo depende de la variedad, pero en cualquier caso se evitará siempre recogerlas si están a punto de espigarse, ya que en este caso pierden la ternura de las hojas y su sabor empieza a ser amargo.

La lechuga es una hortaliza muy rica en agua, poco energética y con un gran poder saciante. Constituye también una excelente fuente de sales minerales, vitaminas y antioxidantes. Las más verdes suelen ser más ricas en nutrientes, y la escarola es la que contiene una mayor cantidad de hierro. Se le atribuyen propiedades relajantes y también alivia la tos y el insomnio. Es importante lavarla con abundante agua para eliminar cualquier resto de tierra.

Paquetitos de **lechuga** con **salmón** y **salsa** de **yogur**

Ingredientes

* 4 hojas de lechuga tipo iceberg
* 400 g de lomos de salmón sin piel ni espinas
* 1 ½ vaso de vino blanco
* 1 cebolleta
* 1 hoja de laurel
* 1 ramita de perejil
* unos granos de pimienta negra
* 2 cucharadas de aceite de oliva
* sal

Para la salsa de yogur

* 1 yogur natural
* 1 cucharada de salsa mahonesa
* unos tallos de cebollino
* pimienta recién molida
* sal

Para 4 personas
Preparación: 45 minutos
Cocción: 15 minutos

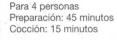

Preparación

1. Pela y pica la cebolleta. Vierte el vino en una cazuela junto con la cebolleta picada, el perejil, la hoja de laurel, unos granos de pimienta y una pizca de sal. Lleva a ebullición, baja el fuego y deja cocer durante 5 minutos.

2. Introduce los lomos de salmón en este caldo corto y cuécelos durante 3 minutos. Apaga el fuego y deja que el salmón se enfríe en el caldo. Luego, escúrrelos y córtalos en cuatro trozos.

3. Para preparar la salsa, mezcla en un cuenco el yogur con la mahonesa y una cucharada de cebollino picado. Salpimienta y mezcla.

4. Lava cuatro hojas grandes de lechuga bajo el grifo y escáldalas en una cazuela con agua hirviendo salada durante 1 minuto. Escúrrelas y extiéndelas sobre un paño limpio. Sécalas ligeramente con papel absorbente de cocina.

5. Coloca un trozo de lomo de salmón sobre cada una de las hojas de lechuga y cúbrelas con una cucharada de la salsa preparada. Cierra los paquetitos y sujétalos con tallos de cebollino escaldados en agua hirviendo. Sirve los paquetitos aún tibios acompañados con unas cucharadas de salsa de yogur.

Crema de lechuga

Ingredientes

* 1 lechuga
* 1 cebolla
* 1 l de caldo de verduras
* 2 cucharadas de queso a las finas hierbas o 2 quesitos
* 1 cucharada de mantequilla
* pimienta recién molida
* sal

Para 4 personas
Preparación: 10 minutos
Cocción: 20 minutos

Preparación

1. Lava las hojas de lechuga bajo el grifo, escúrrelas y córtalas en tiras finas. Pela y pica la cebolla. Calienta la mantequilla en una sartén antiadherente y rehoga la cebolla a fuego lento durante 8 minutos.
2. Añade las tiras de lechuga (reserva un poco para decorar), salpimienta y rehoga todo durante 4 minutos más. Vierte el caldo y lleva a ebullición. Deja cocer a fuego medio de 15 a 20 minutos.
3. Después, agrega el queso a las finas hierbas (o los quesitos) y tritúralo todo en el vaso de la batidora hasta conseguir una crema lisa y homogénea.
4. Rectifica de sal, reparte la preparación en cuencos o platos soperos individuales y decóralos con las tiritas de lechuga reservadas justo antes de servir.

Este plato es ideal para aprovechar las hojas de lechuga más verdes. Puedes completar esta crema con daditos de pan tostado, setas salteadas, tiritas de beicon o con huevo duro picado. Para darle más untuosidad, añade a la crema unas cucharadas de nata líquida. En lugar de caldo de verduras puedes utilizar caldo de ave.

Lechugas braseadas

Ingredientes

* 2 lechugas romanas
* 4 cucharadas de mantequilla
* 2 cucharaditas de vinagre de Jerez
* pimienta recién molida
* sal

Para 4 personas
Preparación: 10 minutos
Cocción: 12 minutos

Preparación

1. Lava las lechugas bajo el grifo, retira las hojas exteriores y escúrrelas. Corta cada lechuga por la mitad a lo largo.
2. Calienta la mantequilla en una cazuela ancha en la que quepan las lechugas. Incorpóralas y rehógalas en la mantequilla a fuego medio, dándoles la vuelta varias veces para que se cocinen por todos los lados. Precalienta el horno a 180 °C.
3. Pasa las lechugas a una fuente de horno y hornéalas a 180 °C durante 5 minutos. Vierte el vinagre en la cazuela con el líquido de cocción que hayan soltado las lechugas y déjalo reducir a fuego vivo unos instantes. Rehoga las lechugas braseadas con este líquido, salpimiéntalas y sírvelas enseguida.

Estas lechugas braseadas son ideales para acompañar platos de ave o asados de ternera o buey. Puedes preparar la misma receta con cogollos de Tudela o con endivias. Para un plato más sofisticado, cubre las lechugas braseadas con unas lonchas de jamón de York y unas cucharadas de bechamel, espolvoréalas con abundante queso gruyère rallado y gratínalas hasta que estén doradas.

manzana granny
smyth

manzana jonathan

manzana reineta

manzana golden

Frutos ➚

El fruto es
subglobuloso, con
forma de ombligo en
la base, dulce, y con
numerosas semillas
de color pardo
brillante. La mayoría
de variedades se
recolectan en agosto
y septiembre.

Hojas ➘

Las yemas son pilosas y las
hojas adultas son tomentosas,
siempre en el envés, aunque
no necesariamente en el
haz. Son simples, ovaladas y
blandas, y el peciolo alcanza
una longitud equivalente a
la mitad del limbo o un poco
menos. El margen foliar es más
o menos sinuoso o dentado,
y el limbo es redondeado en la
base, puntiagudo, con de 3
a 5 (6) nervios laterales a cada
lado del central, muy gruesos
y prominentes en el envés.

↙ Flores

Florece en abril y mayo. Las flores aparecen
pocos días antes que las hojas. Son
blanco rosáceo y perfumadas, y se hallan
agrupadas en ramos, con pedúnculos
visibles muy pilosos y anteras amarillas
(extremo de los estambres). La parte
exterior del cáliz y los estilos son pilosos.

DICE EL REFRANERO

La **pera** no espera, mas la **manzana** espera.

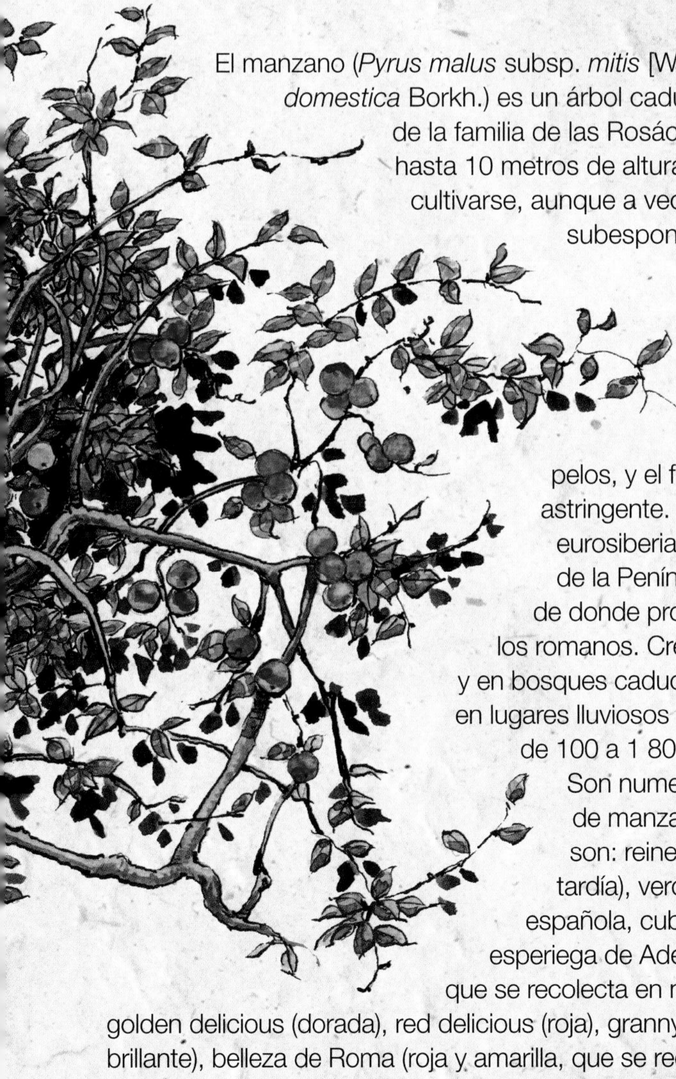

El manzano (*Pyrus malus* subsp. *mitis* [Wallr.] Syme = *Malus domestica* Borkh.) es un árbol caducifolio no espinoso de la familia de las Rosáceas que puede medir hasta 10 metros de altura. Normalmente suele cultivarse, aunque a veces crece de manera subespontánea, en los mismos lugares que la especie silvestre.

El manzano silvestre (*Malus sylvestris* Mill.) se distingue por sus hojas maduras sin pelos, y el fruto pequeño, ácido y astringente. Abarca una distribución eurosiberiana, desde el norte de la Península hasta Asia, de donde probablemente lo trajeron los romanos. Crece en matorrales y en bosques caducifolios poco densos, en lugares lluviosos del estaje montano, de 100 a 1 800 metros de altitud.

Son numerosas las variedades de manzano. Las más conocidas son: reineta (de color verde y tardía), verde doncella (tradicional española, cubierta cérea, tardía), esperiega de Ademuz (amarilla y roja, que se recolecta en noviembre-diciembre), golden delicious (dorada), red delicious (roja), granny smith (verde brillante), belleza de Roma (roja y amarilla, que se recolecta de noviembre a enero), starkrimson (roja, con una pulpa algodonosa), gala (amarilla), fuji, starking, camuesa, perominga, morro de liebre, staymans, johnatan, galiaxis, harroldred, richared, etcétera. En cada zona de España existen variedades locales y autóctonas que se hallan en un proceso importante de recuperación gracias a la acción de determinados agentes o agricultores.

manzana

cat poma **eusk** sagar **gall** mazá

Las manzanas en tu huerto

La manzana es una de las frutas más apreciadas en nuestra cultura. Probablemente encontraríamos poca gente a quien no le gusten las manzanas. Por esta razón se le debe dedicar un espacio en el huerto.

siembra y trasplante

Existen infinidad de variedades de manzano, muchas de ellas preparadas para el cultivo comercial y productivo, y otras autóctonas y menos productivas. Se debe escoger la que guste más y la que más se adapte a la zona donde residamos.

Los manzanos deben plantarse mediante injertos sobre pies francos. Si no se es un experto agricultor, lo mejor es comprar el árbol deseado ya injertado. Hay que tener cuidado de no plantarlo con la raíz desnuda, pues podría ocasionarle daños irreversibles.

Los manzanos son arboles de frío, ya que necesitan unos inviernos largos y fríos para una óptima ramificación y floración primaveral. Pueden soportar heladas de hasta -15 °C.

Le gustan los suelos fértiles y poco compactos, que drenen bien y que no sean excesivamente calizos. En todo caso, si se tuviera un suelo no apto para manzanos, se puede injertar con un pie que se adapte mejor a las condiciones climáticas.

Hay que preparar un hoyo profundo con una buena tierra orgánica bien descompuesta y plantar con cuidado el árbol procurando no dañar las raíces; el hoyo tiene que cubrirse con una buena capa de tierra orgánica, que se regará abundantemente para facilitar el enraizado.

Deben instalarse sistemas de goteo y procurar mantener un acolchado permanente, que ayudará en la retención de humedad del suelo. Asimismo, se evitará las hierbas competitivas, puesto que pueden dificultar el crecimiento en los primeros años de adaptación.

Dependiendo de las variedades, se dejará más o menos distancia entre árboles, aunque lo habitual es dejar unos 5 m; en el caso de variedades enanas o de porte bajo, se dejará de 1 a 2 m.

Poda

La poda de los manzanos, como en cualquier árbol frutal, es una parte importante y delicada. Lo mejor es ver cómo lo hacen nuestros vecinos. Una buena opción es que nos enseñen los ancianos que tienen experiencia en esta tarea.

Por lo general, en los manzanos se realizan dos podas, una en invierno, destinada a dar forma

al árbol y estimular el crecimiento vegetativo, y otra en verano para reducir la vegetación y potenciar la fructificación.

· ·

Cuidado

En condiciones normales, con unas buenas condiciones climáticas y edáficas, no se tendrá demasiados problemas de plagas. Estas suelen aparecer cuando se realizan monocultivos.

Uno de los problemas típicos de los manzanos es la carpocapsa, que pone sus huevos cerca de las flores y afecta gravemente a los frutos. Existen métodos físicos para eliminar esta plaga: unas tiras de cartón ondulado se colocan alrededor de las ramas principales, donde las orugas se refugian durante el invierno. Se recogen las tiras durante el otoño y se queman.

Los espárragos debajo de los manzanos ayudarán a mantener alejada a este plaga.

Asimismo, son frecuentes los ataques de roña, un hongo que forma manchas sobre los frutos. Es

posible tratar el árbol de forma preventiva con algún fungicida vegetal.

Los pulgones también pueden suponer un problema; el más peligroso es el pulgón lanígero, que eclosiona en primavera después de permanecer latente durante el invierno. En poco tiempo puede infestar todo el árbol. Se debe tratar con algún insecticida vegetal.

· ·

Recolección

La mayoría de variedades de manzanas se recolectan durante el verano. Las más precoces deben consumirse en poco tiempo, y las tardías son las más óptimas para guardar en invierno.

Se deben recolectar evitando romper el pecíolo y, si se van a almacenar durante el invierno, se precisará una cámara frigorífica que las mantenga a una temperatura constante de 4 °C.

La manzana es una fruta muy rica en pectina que constituye un remedio muy eficaz para detener la descomposición, contribuye a reducir el nivel de colesterol y posee un gran poder saciante. Se aconseja en dietas de adelgazamiento, puesto que es muy poco calórica. También tiene propiedades diuréticas debido a su elevado contenido en potasio y fibra. Estimula las glándulas salivares, hecho que ayuda a prevenir la caries.

Ingredientes

* 450 g de manzanas reinetas (peladas y descorazonadas)
* 450 g de ciruelas (deshuesadas)
* 450 g de tomates
* 450 g de cebollas peladas
* 2 dientes de ajo
* 250 g de pasas sultanas
* 600 ml de vinagre
* 1 cucharadita de canela
* 1 cucharadita de jengibre molido
* 1/2 cucharadita de nuez moscada
* 450 g de azúcar moreno

Chutney
de **otoño**

Para 3,2 kg
Preparación: 35 minutos + maceración
Cocción: 50 minutos

Preparación

1. Lava las ciruelas, córtalas por la mitad y deshuésalas. Pelas las manzanas, retira el corazón y trocéalas. Pela las cebollas y córtalas en rodajas. Lava los tomates, sécalos con un paño limpio y pícalos con la ayuda de un cuchillo afilado. Pela y pica los dientes de ajo. Deja las pasas en remojo con agua durante 20 minutos.

2. En una cazuela de fondo grueso, mezcla las ciruelas deshuesadas, las manzanas troceadas, los tomates picados, las cebollas en rodajas, el ajo picado y las pasas escurridas. Añade todas las especias y cubre con el vinagre. Deja cocer durante

unos 30 minutos a fuego lento hasta que todas las frutas y las hortalizas se hayan ablandado.

3. Agrega el azúcar y remueve hasta que se disuelva. Deja cocer unos 20 minutos más a fuego muy lento, removiendo a menudo con una cuchara de madera hasta que la preparación espese.

4. Deja enfriar el chutney y repártelo en tarros esterilizados. Ciérralos herméticamente y consérvalos en un lugar fresco.

Para que adquiera un punto exótico, añade jengibre cortado en tiras finas. Puedes agregar otras especias: macis, clavo...

Crumble de manzana y pasas

Ingredientes

* 4 manzanas
* 175 g de harina
* 100 g de azúcar
* 100 g de mantequilla
* 1 cucharadita de canela
* 100 g de uvas pasas
* 5 cucharadas soperas de azúcar moreno
* 2 cucharaditas de zumo de limón

Para 6 personas
Preparación: 25 minutos
Cocción: 30 minutos

Preparación

1. Corta la mantequilla en dados, deja que se reblandezcan durante unos minutos a temperatura ambiente y disponlos en un cuenco. Añade la harina tamizada, el azúcar y la mitad de la canela en polvo, y trabaja con las puntas de los dedos hasta conseguir una textura grumosa, como de migas. Reserva esta preparación en la nevera durante 15 minutos.

2. Precalienta el horno a 200 °C. Deja las pasas en remojo en un poco de agua caliente durante 20 minutos. Pela las manzanas, descorazónalas y córtalas en rodajas. Mézclalas con el zumo de limón, el azúcar moreno y la canela restante. Añade las pasas escurridas.

3. Unta un molde rectangular con un poco de mantequilla y coloca dentro la preparación anterior. Reparte las migas de masa encima, presiona un poco y cuece a 180 °C durante unos 30 minutos, hasta que la superficie esté ligeramente dorada.

Este típico postre inglés puede elaborarse con cualquier tipo de manzana, más o menos dulce o ácida. Queda muy bien con manzanas reineta. También puedes prepararlo con otras frutas como peras, ciruelas, frutos rojos...
Sirve el crumble con una bola de helado de vainilla o con unas cucharadas de nata líquida.

Compota de manzana con vainilla

Ingredientes

* 800 g de manzanas
* 10 cl de agua
* 150 g de azúcar
* 2 vainas de vainilla
* 1 limón

Para 6 personas
Preparación: 10 minutos
Cocción: 40 minutos

Preparación

1. Pela las manzanas, córtalas en cuartos y retira las pepitas. Colócalas en un cuenco y rocíalas con el zumo de un limón para evitar que se oscurezcan.

2. Prepara el almíbar. En una cacerola, añade el agua, el azúcar y las vainas de vainilla cortadas por la mitad a lo largo y raspadas con un cuchillo. Lleva a ebullición y mantén la preparación a fuego medio durante unos 15 minutos para que espese sin que llegue a caramelizarse. Remueve constantemente.

3. Cuando el almíbar haya espesado, viértelo en una cacerola y agrega las manzanas. Deja que cuezan unos 15 minutos desde que rompa el hervor.

4. Después, pon la compota en un cuenco grande con el almíbar y deja que se enfríe durante 20 minutos.

5. Sírvela en cuencos individuales con 1 cucharada sopera de almíbar.

Flores

El melonero tiene flores femeninas, masculinas o hermafroditas. Florece de junio a agosto. Las flores son pequeñas y amarillas.

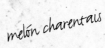

melón charentais

Frutos ➜

Los frutos tienen formas, tamaños y colores muy diversos dependiendo de la variedad. Se pueden comer cuando están maduros y algunos se conservan durante todo el invierno.

melón piel de sapo

melón amarillo

Hojas

Las hojas
presentan una
forma suborbicular
ligeramente lobada.
Son grandes,
atractivas y peludas.

En tiempo de melones, cortos los sermones.

melón

gall **melón**

eusk **meloi**

cat **meló**

El melonero
(*Cucumis melo* L.
subsp. *melo*) es una
planta anual rastrera
de la familia de las
Curcubitáceas.
Originaria de
Próximo Oriente,
fue introducida
en Europa por los
romanos. Posee unos
filamentos que crecen
de forma helicoidal que
le permiten enredarse alrededor
de cualquier soporte por donde
la planta se encarama (trepa); es el denominado *zarcillo*. Las
hojas y los tallos están cubiertos de pelos rígidos, muy ásperos,
que dan la sensación de que pinchan. Puede ocupar bastante
espacio, ya que se extiende varios metros. Una subespecie muy
próxima es la alficossera (*Cucumis melo* L. subsp. *flexuosus*
(L.) Greb), que tiene el fruto más largo y estrecho y ligeramente
recurvado (originaria de Irán y del este del Mediterráneo). Las
variedades de melón se suelen clasificar por la forma del fruto:
esféricos (del norte de Europa, pues resisten mejor el frío:
cantalupo, franceses, etcétera) u ovalados (piel de sapo verde,
canario-amarillo). Otras variedades son las de invierno (casaba),
almizcle, groc d'Urgell, tendral, pinyonet y alozaina.

Los melones en tu huerto

El melón, junto con la sandía, son los frutos de la familia de las cucurbitáceas que más deseamos. Pues la llegada del verano está asociada con su dulce sabor. Existen muchas variedades de melón, pero se debe procurar escoger alguna autóctona, no hibridada, pues estará más adaptada a la tierra y nos sorprenderemos por la diferencia de sabores que podemos encontrar.

Siembra y trasplante

Lo más común en el melón es sembrarlo a su lugar definitivo de forma directa. También se puede sembrar protegido en un semillero.

En este último caso, debe sembrarse a partir de febrero en un manto de una buena tierra orgánica bien descompuesta. Al aire libre, se procederá a su siembra a partir de marzo con una protección de plástico, del mismo modo que con las calabazas. Se tienen que sembrar de 4 a 5 semillas por hoyo, que se colgarán con un grosor de 4 cm de tierra bien fina.

En todo caso, se dejará una sola plántula por hoyo, que tendrá que protegerse hasta bien entrada la primavera.

Se debe regar de forma constante y poco copiosa para facilitar un buen enraizado.

El marco de plantación debe ser de 1 metro, pues en buenas condiciones se expandirán y cubrirán todo el suelo de cultivo.

Si se sigue el calendario lunar, se deben sembrar en Luna llena ascendente.

Cultivo

Los melones son plantas de verano, puesto que les encanta el sol y las buenas temperaturas. El lugar donde se desarrollen debe contar con una buena exposición solar.

Son necesarios 4 meses largos de verano, con altas y constantes temperaturas diurnas y con suaves temperaturas nocturnas, para la correcta maduración de los frutos. Si no se dispone de estas condiciones climáticas, será muy difícil que maduren de forma óptima.

Les gusta el suelo alcalino, y aunque se pueden adaptar sin demasiados problemas a cualquier tipo de suelo, prefieren los arcillosos y calcáreos.

Los melones se polinizan a través de insectos, por lo que es interesante que en el huerto se mantenga una buena biodiversidad que atraiga a un gran número de polinizadores, pues de esto dependerá la cosecha de melones.

No les gusta el exceso de humedad, e incluso hay variedades que prefieren la sequía. Lo ideal es plantarlos en caballones para que el riego no inunde las raíces. Una vez están bien enraizados no precisan demasiados riegos.

Se tienen que regar con goteo, evitando mojar los tallos y las hojas, y lo justo para que no se seque la tierra, pero si se disfruta de una abundante primavera lluviosa no hará falta en ningún momento conectar el riego.

No precisan más cuidado que la intervención cuando hay algún problema. Si se tiene la tierra limpia de hierbas, el abundante crecimiento foliar de los melones impedirá que crezcan otras.

En todo caso es interesante realizar un acolchado con paja seca. De este modo prácticamente no hará falta regar; así, tan solo se tendrán que controlar las malas hierbas y, cuando los melones empiecen a cuajar, ya se dispondrá de un buen manto para que no toquen directamente el suelo, cosa que puede traer problemas de podredumbre.

Como en todos los cultivos del huerto, se deben realizar rotaciones de 4 años. Los melones son exigentes en cuanto a nutrientes; se pueden volver a plantar en el lugar donde estaban las leguminosas. Se asocian bien con las judías y con el maíz, y es mejor mantenerlos separados de plantas de su familia, como calabazas, sandías o pepinos.

Cuidado

Si las condiciones climáticas nos son favorables y se tiene un buen equilibrio edáfico, no se va a tener ningún problema con el cultivo.

Los excesos de humedad ambiental y los encharcamientos en el suelo pueden dar lugar a problemas de hongos y podredumbres. La tierra se mantendrá siempre drenada, fresca y suelta para evitar este problema. Solo se utilizará azufre si el problema es muy grave.

Son susceptibles a los ataques de caracoles y babosas en las primeras fases de crecimiento. Este problema es fácil evitar con una protección con plástico para retener el calor.

Recolección

La recolección es uno de los puntos más difíciles de su cultivo, ya que acertar el punto óptimo de maduración es toda una labor que requiere cierta experiencia.

Hay quien deja secar el pedúnculo hasta que el melón se desprenda solo, lo que indicaría que el melón está maduro. El único problema es que también puede estar muy maduro e incluso podrido. Otra forma consiste en presionar con los dedos el punto de unión del pedúnculo con el fruto; si esta duro, el melón aún está verde, y si está blando, está en su punto.

Los más expertos solo con tocarlos, olerlos y darles unos golpecitos saben su estado de madurez.

¡Al final solo se sabe cómo está cuando se abre y se prueba!

El melón es una fruta que tiene pocas calorías y mucha agua. Contiene vitaminas A y C. Es un alimento ideal para dietas de adelgazamiento y para combatir las infecciones. Tiene propiedades antioxidantes, y su elevado contenido en potasio, pero bajo en sodio, le confieren propiedades diuréticas. También resulta adecuado para regular el tránsito intestinal debido a su contenido en fibra, y puede actuar como laxante si se toman mayores cantidades.

Ingredientes

* 2 melones cantalupo
* 1 tallo de apio
* 350 g de langostinos
* 1 yogur natural
* el zumo de 1 limón
* ½ cucharadita de curry en polvo
* ½ cucharadita de jengibre molido
* ½ cucharadita de pimentón picante
* 2 cucharadas de aceite de oliva
* pimienta blanca
* sal

Ensalada de melón y langostinos

Para 4 personas
Preparación: 15 minutos
Cocción: 1 minuto

Preparación

1. Lleva a ebullición una cazuela con agua y sal. Cuando rompa a hervir, añade los langostinos, déjalos cocer 1 minuto y apaga el fuego. Tapa la cazuela y deja que se enfríen en el agua. Luego, retira las cabezas, pélalos y rocíalos con la mitad del zumo de limón.

2. Corta los melones por la mitad formando una cenefa dentada con la ayuda de un cuchillito de puntilla. Vacíalas ligeramente formando bolitas con un utensilio especial. Limpia el tallo de apio, retira los hilos laterales y córtalo en dados pequeños.

3. En una ensaladera, mezcla las bolitas de melón, los dados de apio y los langostinos. Rellena las mitades de melón con esta preparación.

4. Elabora la salsa batiendo con unas varillas el yogur, el resto del zumo de limón, el aceite, el jengibre, el curry, el pimentón picante y una pizca de sal.

5. Cubre la ensalada con la salsa de yogur que has preparado. Reserva los melones en la nevera y espolvoréalos con una pizca de pimentón picante justo antes de servir.

Los melones Cantalupo tienen una pulpa de color naranja y poseen un sabor muy delicado. Puedes sustituirlos por otro tipo de melón.

Ingredientes

* 1 melón maduro
* 4 cucharadas de nata líquida
* 100 g de jamón serrano en lonchas
* nuez moscada
* pimienta recién molida
* sal

Crema fría de melón con jamón

Para 4 personas
Preparación: 15 minutos + reposo
Sin cocción

Preparación

1. Abre el melón, retira las pepitas del interior y córtalo en cuartos. Retira toda la pulpa de las rodajas y trocéala. Tritúrala con la batidora hasta conseguir un puré fino.

2. Corta la mitad de las lonchas de jamón en tiritas y mézclalas con el puré de melón. Añade cuatro cucharadas de nata líquida y tritura de nuevo hasta que la preparación quede homogénea. Si te queda muy espesa, añádele un poco de agua fría. Salpimienta, sazona con una pizca de nuez moscada molida y reserva en la nevera.

3. En el momento de servir, reparte la crema en platos soperos, en boles individuales o en copitas. Añade las tiritas de jamón reservadas y espolvorea la crema con una pizca de nuez moscada recién molida. Sirve enseguida.

Puedes sustituir la nuez moscada por unas hojitas de menta fresca o adornar el plato con lavanda.
Si lo deseas, puedes servir la crema con tiras de jamón crujientes.

Suflé helado de melón con salsa de cerezas

Ingredientes

* 1 melón
* 2 claras de huevo
* 150 g de azúcar
* 100 g de nata montada
* 300 g de cerezas
* 5 hojas de gelatina
* una pizca de sal

Para 4 personas:
Preparación: 45 minutos
Cocción: 15 minutos

Preparación

1. Corta el melón y vacíalo con una cuchara. Debes obtener 500 g de pulpa. Cuece 90 g de azúcar en una cazuelita con una tacita de agua hasta que obtengas un almíbar ligero.

2. Con la ayuda de unas varillas, monta las claras a punto de nieve firme con una pizca de sal. Añade el almíbar en hilo y sigue batiendo hasta que quede bien fusionado.

3. Deja la gelatina en remojo en agua durante unos minutos. Luego, escúrrela y deslíela en un cacito a fuego lento con una cucharada de agua. Tritura la pulpa de melón con la batidora y agrega la gelatina. Incorpora la nata y las claras montadas, mezclando cuidadosamente de abajo hacia arriba para que no se bajen demasiado.

4. Fija una tira de papel sulfurizado alrededor de un molde para suflé de 1/2 litro, de forma que sobresalga, y sujétala con un trocito de cinta adhesiva. Vierte la preparación de melón en el interior del molde y resérvala en el congelador durante 4 horas.

5. Deshuesa las cerezas, introdúcelas en un cazo y cuécelas con el azúcar restante durante 15 minutos. Tritúralas, pásalas por el chino y deja que se enfríen. Sirve esta salsa como acompañamiento del suflé helado.

patata bintje

patata azul

patata roja

Frutos

El fruto es una baya tóxica de color rojo o verdoso, que una vez maduro suele medir de 2 a 4 centímetros de diámetro.

patata gallega

Flores ↗

Las flores son blancas o más o menos violáceas con el centro amarillo. Se encuentran formando cimas con numerosas flores (inflorescencia en la que todos los ejes tienen un crecimiento limitado y acaban en una flor). La corola mide más de 2 centímetros de diámetro. Florece de junio a agosto.

← Hojas

Las hojas son compuestas, habitualmente grandes y gruesas (miden más de 20 centímetros), con un margen entero, y con foliolos impares que se disponen a ambos lados de un eje central, con unos foliolos mayores, e, intercalados, otros menores.

Más valen dos **bocados** de **vaca** que siete de **patata**.

La patatera (*Solanum tuberosum* L.) es una planta perenne, erecta, más o menos pilosa, sin espinas, tuberosa, de la familia de las Solanáceas. Originaria de Sudamérica, llegó a Europa gracias al descubrimiento de América por Cristóbal Colón. La patata comestible es el tallo subterráneo engrosado y corto, rico en sustancias de reserva, lo que en botánica se denomina *tubérculo*. Existen numerosas variedades de patatas, de diferentes formas, tamaños, y colores. La clasificación tiene en cuenta la duración del ciclo (las tempranas normalmente tienen mejor sabor), el color de la pulpa (blanco o amarillo) o la dureza de la pulpa y, por tanto, la aplicación culinaria. La variedad kenebec y bufet se conservan muy bien; y la red pontiac es tardía y se debe comer de inmediato. También destacan las siguientes: parada de Conflent, blancas pentland, xantia y frisia. Entre las amarillas se encuentran: jaerla, bintje, claustar, eureka, marfona, monalisa, royal kidney, spunta, obélix, arran banner y agria. Entre las rojas cabe mencionar: cóndor, astérix, desirée, red duke of York, mimi o kerrs pink. De las amarillas destacan: arran pilot, charlotte. Y entre las marrones se encuentran: saxon, nicola y sante. Si se buscan alargadas vale la pena adquirir pink fir apple o ratte.

patata

gall **pataca**

eusk **patata**

cat **patata**

Las patatas en tu huerto

La patata es otro de los cultivos imprescindibles en el huerto. Su elevada producción, su importante capacidad de almacenamiento y sus múltiples opciones culinarias hacen de la patata una de las hortalizas más cultivadas de nuestro territorio. Su único inconveniente es el espacio que ocupa el cultivo, que acostumbra a invadir gran parte del huerto.

siembra

La elección de las «semillas» de patata es crucial para una buena producción y un cultivo sano. Con independencia de la variedad que se escoja entre las múltiples disponibles, se tiene que poner énfasis en sean de gran calidad, pues de lo contrario el cultivo puede ser un fracaso.

Para la siembra de patata no se utilizan las semillas convencionales que salen de la flor, sino las mismas patatas que germinan. Esto se debe a que es mucho más fácil y seguro para conservar la variedad sembrar la misma patata que se ha recogido, pues el manejo de sus semillas es inestable y complicado.

Por esta misma razón es conveniente buscar «semillas» de patata sana, ya que a través de esta forma de multiplicación se pueden transmitir con facilidad las enfermedades hereditarias, sobre todo si se vive en zonas templadas donde los pulgones pueden conllevar enfermedades víricas. Lo ideal es sembrar patatas procedentes de zonas frías y montañosas, pues en estas condiciones la mayoría de enfermedades víricas no se desarrollan.

Una vez se dispone de una buena patata, se debe dejar unas semanas antes de la siembra en un lugar cubierto pero con luz natural, para favorecer la germinación. Incluso unos días antes de sembrarlas se pueden cubrir con un manto para que absorban el calor necesario para que puedan iniciar el proceso de crecimiento.

Las patatas admiten dos cosechas al año en la mayoría de zonas de nuestro territorio, siempre dependiendo del clima. Son plantas que no toleran el frío. Se pueden sembrar de febrero a marzo

para recogerlas en verano, y de junio a julio para recolectarlas en octubre o noviembre.

Si la patata está bien germinada, se puede cortar en trozos, dejando de dos a tres ojos de germinación por pieza. Si es pequeña, es posible sembrarla entera. Lo ideal es en Luna descendente si se sigue el calendario lunar.

Cultivo

La patata necesita plantarse en surcos o caballones no compactos para que desarrolle un buen crecimiento radicular y forme tubérculos grandes e uniformes. Necesita una tierra rica en nitrógeno y potasio. Hay que aportar compost bien descompuesto, y si se dispone de cenizas procedentes de maderas limpias también irán muy bien para el aporte de potasio.

Se siembran dejando unos 50 cm de distancia entre ellas y unos 50 cm de separación entre hileras. Primero se pueden sembrar en hoyos, y posteriormente cubrirlas con tierra y montar los caballones,

o al revés. Las dos formas son buenas e implican el mismo trabajo, así, pues, hay que proceder de la manera que más nos satisfaga.

Un acolchado con paja entre hileras es ideal para el control de las malas hierbas y la retención de la humedad del suelo.

Son plantas que requieren grandes cantidades de agua, pero no soportan el encharcamiento y un exceso de humedad persistente. Así pues, lo ideal es regar de manera abundante pero no cada día. Es preferible esperar a que la tierra drene bien el agua antes de volver a regar.

Acepta de buen grado el riego por aspersión e incluso le favorece para evitar ciertas posibles plagas.

Si no se ha realizado el acolchado, se debe entrecavar periódicamente entre hileras. Así se favorece la ventilación radicular y se deja la tierra bien mullida para el buen crecimiento de los tubérculos. También es beneficioso para el control de las malas hierbas, que son abundantes y de rápido crecimiento.

Como todas las solanáceas, sus requisitos nutricionales son muy elevados y suelen dejar los suelos bastante agotados, así pues, como siempre, se procurará mantener rotaciones de cultivo de 4 años. En su lugar, se deben plantar leguminosas o algún abono verde, que acostumbra a ser una mezcla de cereales, leguminosas y crucíferas.

Cuidado

Los principales problemas que puede ocasionar el cultivo de patatas son los ataques de hongos como el mildiu y el famoso escarabajo de la patata.

El mildiu se puede combatir con caldo bordelés, si ya existe la enfermedad, o con purín de ortigas de forma preventiva.

El escarabajo puede traer más problemas, pues las larvas arrasan rápidamente con las plantas. El control manual de los escarabajos adultos es una buena fórmula preventiva para evitar el crecimiento de la plaga. Otra forma consiste en plantar berenjenas entre hileras, pues el escarabajo las prefiere y será más fácil el control.

Si el ataque ya es muy fuerte se tiene que recurrir a insecticidas vegetales como *Bacillus thuringiensis*.

Recolección

La recolección de las patatas es uno de los momentos de más abundancia que se tiene en el huerto, pues la aparición de grandes cantidades bajo tierra a todos nos desata una sonrisa.

Se procederá a la recolección cuando las plantas estén secas y caídas. Con una azada, se cavará por los lados del caballón para extraer con cuidado las patatas que ahí se esconden.

La patata es un tubérculo con un elevado contenido en agua, glúcidos, sales minerales como potasio, hierro y yodo, vitamina C e hidratos de carbono, que aportan una buena dosis de energía. En casos de diabetes, se debe evitar su consumo. Según su preparación, la patata puede ser más o menos calórica; así, no es lo mismo cocerlas en agua, al vapor o al horno, y sin grasa, que consumirlas fritas o de churrería. Se aconseja, en lo posible, evitar esta última opción.

Ensalada de **patatas** con **boquerones** y gambas

Para 4 personas
Preparación: 15 minutos
Cocción: 37 minutos

Ingredientes

* 4 patatas grandes
* 200 g de judías tiernas
* 200 g de boquerones en vinagre
* 150 g de colas de gamba
* 1 diente de ajo
* 2 cucharadas de vinagre de Jerez
* una ramita de eneldo
* una ramita de perejil
* aceite de oliva
* sal
* pimienta recién molida

Preparación

1. Lava las patatas, introdúcelas en una cazuela y cúbrelas con agua. Añade una cucharada de sal y cocínalas durante 35 minutos. Escúrrelas y déjalas entibiar antes de pelarlas.
2. Limpia las judías, córtalas en tiras finas y cuécelas en agua hirviendo con sal durante 4 o 5 minutos. Escúrrelas, refréscalas bajo el grifo para que mantengan su color y reserva.
3. Pela y pica el ajo. Calienta 4 cucharadas soperas de aceite en una sartén y saltea las gambas 2 minutos. Sálalas y retíralas. Mezcla el aceite de la sartén con el vinagre, sal, pimienta.
4. Coloca las patatas cortadas en rodajas en una fuente, reparte por encima las judías, los boquerones y las gambas y aliña con la vinagreta.

Espolvorea con las hierbas picadas y sirve la ensalada fría o tibia.

Prepara boquerones marinados: límpialos bien, eliminando la cabeza, la espina central y las tripas, y lávalos bajo el grifo en un colador para eliminar la sangre. Déjalos escurrir con un poco de sal durante media hora. Después, colócalos con la piel hacia arriba en una fuente por capas salando cada una de ellas, cubre con vinagre de vino blanco y déjalos un mínimo de 3 a 4 horas en la nevera. Escúrrelos y alíñalos con ajo y perejil picados y aceite de oliva.

Ingredientes

* 12 huevos de codorniz
* 2 patatas para freír
* 50 g de sobrasada
* 4 ramitas de perejil
* 150 ml de aceite de oliva
* sal
* pimienta

Huevos de **codorniz fritos**
sobre **patata paja** con **sobrasada**

Para 4 personas
Preparación: 10 minutos
Cocción: 25 minutos

Preparación

1. Pela las patatas y córtalas en tiras muy finas con la ayuda de una mandolina o de un cuchillo de lama largo bien afilado.
2. Calienta la mitad del aceite en una sartén pequeña y fríe un cuarto de las patatas; si las colocas en grupo, quedarán pegadas. Cuando estén doradas por un lado, dales la vuelta y deja que se doren por el otro. Repite la operación formando tres grupos más. Al retirarlos, déjalos escurrir sobre papel de cocina.
3. Añade el aceite restante a la sartén y fríe los huevos, tres cada vez, de manera que queden pegados. Sálalos ligeramente y disponlos sobre las patatas. Retira el aceite de la sartén y fríe rápidamente la sobrasada, solo para que se ablande.
4. Distribuye la sobrasada sobre los huevos y salpimienta. Sirve de inmediato con un poco de perejil, o, si lo prefieres, decorado con un tomatito cherry.

Gratén *dauphinois*
de **patata** y **calabaza**

Preparación

Para 6 personas
Preparación: 20 minutos
Cocción: 45 minutos

1. Lava el perejil, sécalo con un trapo o papel de cocina, separa las hojas y pícalo con un cuchillo de lama larga. Pela las patatas y córtalas en rodajas bien finas junto con los trozos de calabaza. Introdúcelos en un cuenco grande y condimenta con sal, pimienta, nuez moscada y el perejil.
2. Unta una fuente refractaria con el ajo cortado por la mitad. Engrasa con mantequilla y distribuye la patata y la calabaza alternando las capas y añade la mitad del queso rallado.
3. Casca los huevos en un cuenco, bátelos y añade la leche. Viértelos en la fuente con la patata y la calabaza y muévelo para que se distribuya bien entre las capas.

Ingredientes

* 800 g de patatas
* 400 g de pulpa de calabaza
* 2 huevos
* 600 ml de leche
* 4 ramitas de perejil
* 1 diente de ajo
* 8 cucharadas de queso parmesano rallado
* 40 g de mantequilla
* una pizca de nuez moscada
* sal
* pimienta recién molida

4. Termina con más queso rallado y trocitos de mantequilla por encima. Cocina en el horno precalentado a 180 °C durante 45 minutos hasta que la superficie esté dorada. Después, retíralo del horno y dejar reposar 5 minutos antes de servir.

Este plato se puede preparar con antelación e incluso dejarlo ya cocido para calentarlo en el último momento. Sírvelo solo o para acompañar carnes, pescados y aves.

pimiento largo
verde claro

pimiento
cuadrdado rojo

Frutos ➜

El fruto es una baya
de color rojo, verde o
amarillo, que una vez
maduro suele medir
de 5 a 25 centímetros.
No tiene una forma
concreta; así, puede
ser esférico, globuloso
o lobulado de manera
irregular. Los frutos de
algunas variedades
pican y otros no.

pimiento de
Padrón

pimiento verde

pimiento largo rojo

Hojas ➜

Las hojas
son ovadas o
lanceoladas, con
un margen entero
y sin pelos.

← Flores

Las flores son
blancas, rotáceas,
con unas anteras
conniventes, que
forman una columna
en el centro de
la flor. La planta
florece durante todo
el verano hasta la
llegada del frío.

Ajo, **sal** y **pimiento**, y lo demás es **cuento**.

pimiento

El pimiento (*Capsicum annuum L.*) pertenece a la familia de las Solanáceas. Es una planta anual o bianual, que en zonas templadas se cultiva como anual.

Originaria de Sudamérica, concretamente de Bolivia y Perú, llegó a Europa gracias al descubrimiento de América por Cristóbal Colón.

El género *Capsicum* es complejo y son numerosas las especies y variedades. La mejor manera de clasificar los pimientos es en función del dulzor o de si son picantes. Los frutos picantes pertenecen a *Capsicum bacatum* o *C. chinensis*. Las guindillas o los chiles suelen tener un tamaño menor. Otras especies son *C. frutescens*, *C. pendulum* y *C. pubescens*.

Algunas variedades son: lamuyo (dulce y roja), ariane (naranja), tiurana, carré, california (dulce), italiano, etcétera. Entre los pimientos dulces cabe destacar: dulce de España, morrón, grande de plaza, keystone, maravilla de California, maravilla de Yolo, cristal, verde italiano, dulce italiano, esterel, marconi y padrón. Para conserva se pueden citar los siguientes: del piquillo, morrón, ele y select. También hay variedades para elaborar: pimentón, ñoras o guindillas. Para encurtidos, es ideal el amarillo de Hungría. Un caso curioso y divertido es la guindilla de Girona o los pimientos del padrón, que unos pican y otros no.

Los pimientos en tu huerto

Existen muchas variedades de pimientos, la mayoría hibridas, que se han ido seleccionando para los cultivos más productivos de huerta. Para mantener una buena biodiversidad, se debe procurar elegir semillas no seleccionadas que sean autóctonas. En la mayoría de zonas, los abuelos guardan estas semillas; son unos buenos guardianes de la biodiversidad natural.

Siembra

Los pimientos se siembran en un semillero protegido a partir de febrero, con una buena tierra orgánica. De esta forma germinarán las semillas sanas y equilibradas. Los nutrientes deben estar equilibrados, ya que de este modo las plántulas serán más fuertes y robustas para su posterior trasplante.

Si se sigue el calendario lunar, se deben sembrar en Luna creciente y dos o tres días antes de la Luna llena. Las semillas de los pimientos tienen un gran poder de germinación, que puede durar hasta 5 años. Se siembran de 4 a 5 semillas por taco o maceta y se dejan las más fuertes para el posterior repicado.

Trasplante

Los pimientos son plantas de verano, por lo cual son sensibles al frío. No soportan temperaturas inferiores a 10 °C.

Cuando las plántulas tengan unos 12 cm de altura, hay que trasplantarlas a su lugar definitivo entre abril y mayo, dependiendo de la zona y teniendo en cuenta la finalización de las heladas tardías.

Las plántulas se separan unos 40 cm entre ellas y unos 60 cm entre hileras.

Cultivo

Como todas las solanáceas, los pimientos son plantas exigentes. La tierra debe estar bien mullida y con de 3 a 5 kg/m^2 de compost. También se procurará que la tierra tenga buenos niveles de potasio, pues también son exigentes en este nutriente.

Para una buena optimización del agua, el riego será por goteo. Los pimientos necesitan riegos generosos y un suelo húmedo y ventilado. El goteo es ideal, pues así se evita mojar el tallo y las hojas que, como siempre, puede traer problemas de hongos o podredumbre.

El acolchado con paja es una buena solución para evitar el crecimiento de hierbas competitivas y mantener la humedad del suelo. Los pimientos tienen un crecimiento vertical y no cubren el suelo, por lo que se puede tener problemas de malas hierbas. Si no se realiza el acolchado, se procurará escardar la tierra de forma constante para ventilarla y detener el crecimiento de las hierbas competitivas.

Los pimientos, dependiendo de la variedad, pueden alcanzar una altura considerable, aunque se trata de plantas frágiles. En este caso, se puede utilizar tutores, como cañas o palos de madera, para

mantenerlas firmes y verticales. De deben atar con cuidado para no dañar el tallo y crear heridas que podrían presentar problemas de podredumbre.

Si se desea ganar volumen foliar, se puede podar la yema central cuando las plántulas estén en la primera fase de crecimiento, ya que de este modo se conseguirá un crecimiento más abundante en horizontal y las plantas no serán tan altas y sí más firmes y estables. Para mantener una buena salud del suelo no se debe plantar pimientos en el mismo sitio hasta transcurridos 4 años. En su lugar se pondrá plantas menos exigentes y que nutran el suelo, como las leguminosas. En cambio, se pueden ubicar donde estaban las umbelíferas o las liliáceas, como las zanahorias, los apios, los puerros o las cebollas. Los pimientos se autopolinizan pero hay bastantes probabilidades de cruce de variedades si se han plantado muy cerca. Es preferible ponerlos lejos de las guindillas o de variedades picantes, pues pueden salir pimientos picantes por sorpresa.

Cuidado

Los pimientos son más resistentes que las demás solanáceas. Si se dispone de un suelo equilibrado y se mantienen unas buenas rotaciones, no acostumbran a presentar demasiados problemas. Pueden mostrar problemas de pulgones o araña roja. Para los primeros, las mariquitas serán el más

fuerte aliado; también se pueden rociar de forma preventiva con purín de ortiga para conseguir vitalidad foliar, o con infusión de ajo si los ataques son más intensos.

Si entre hileras se siembran plantas de albahaca, se consigue un buen vigilante para los pulgones. Para la araña roja es posible tratar las hojas a pleno sol con algún preparado vegetal, como la decocción de cola de caballo.

Recolección

La recolección de los pimientos debe realizarse a medida que vayan madurando. Acostumbra a ser entre 2 y 3 meses después de trasplantarlos. Dependiendo de la variedad que se haya escogido, se recogerán verdes o rojos. Algunas están más indicadas para comer verdes en crudo, mientras que otras se pueden dejar madurar hasta que estén rojos. Es importante no recogerlos cuando están rojos del todo, pues se pueden marchitar en poco tiempo. Lo ideal es recolectarlos cuando esté apareciendo el color y aún estén firmes y tersos.

Se procurará hacer un corte limpio con la ayuda de un cuchillo, así la herida en el tallo es menor. Se debe tener cuidado para no pincharse con las pequeñas hojas que envuelven el fruto, pues fácilmente podrían cortar.

El pimiento es una verdura muy poco calórica, contiene mucha agua y es rico en vitaminas C y A. No obstante, puede resultar algo indigesto, por lo que hay que tener cuidado si se consume en la cena. Es diurético, estimulante y ayuda a prevenir la anemia. El pimiento verde, que en general es duro y amargo, posee menos principios activos que el rojo. Este, que se recolecta maduro, acostumbra a ser más jugoso.

Ingredientes

* ★ 1 kg de pimientos rojos
* ★ 750 g de azúcar

Mermelada
de **pimientos rojos**

Preparación: 10 minutos
Cocción: 90 minutos

Preparación

1. Asa los pimientos en el horno a 180 °C durante 1 hora. Después, sácalos del horno, envuélvelos en papel de aluminio y déjalos así durante unos 10 minutos. Verás qué fácil te resultará pelarlos.
2. Una vez hayas pelado y cortado los pimientos, ponlos en un cazo a fuego suave, incorpora el azúcar y remueve para que no se peguen. Cuécelos con el propio líquido durante 30 minutos.
3. Tritura con la batidora, pon la mermelada en botes y ciérralos bien. Si realizas esta operación con la mermelada bien caliente, se hará el vacío y no será necesario que pongas los botes al baño María.

La mermelada de pimientos rojos combina muy bien con carnes asadas, pescados, carpaccios, quesos... Pruébala en tostadas con anchoas o con atún, y corónala con unas aceitunas. ¡Un plato para degustar con los ojos cerrados!

Pudin de pimientos rojos

Ingredientes

* 4 pimientos rojos
* 4 huevos
* 2 tomates maduros
* 4 cucharadas de salsa pesto
* 2 cucharadas de aceite de oliva
* sal
* pimienta recién molida
* unas rebanadas de pan tostado

Para 4-6 personas
Preparación: 20 minutos
Cocción: 1 hora + 15 minutos

Preparación

1. Lava los pimientos, colócalos en una fuente refractaria y hornéalos con el horno precalentado a 200 °C durante 40 minutos. Retíralos y déjalos enfriar. Después, pélalos, trocéalos y estrújalos un poco con las manos para eliminar el exceso de agua.
2. Introdúcelos en el vaso de la batidora junto con los huevos, una pizca de sal y otra de pimienta y tritura con la batidora hasta obtener un puré homogéneo.
3. Viértelo en un molde de 1 litro de capacidad untado con aceite y cuécelo en el horno al baño María a 180 °C durante unos 35 minutos.
4. Pela los tomates, trocéalos, retira las semillas y tritúralos con sal y una cucharada de aceite.
5. Retira el pudin del horno, déjalo enfriar, desmóldalo sobre una fuente y acompáñalo con salsa pesto, el tomate triturado y tostadas, como si se tratara de un paté.

Utiliza un molde alargado, uno redondo o uno de corona, en el que podrás decorar el centro con hojas variadas (rúcula, canónigos, berros o simplemente lechuga).

Fritada de pimientos

Para 4 personas
Preparación: de 20 a 30 minutos
Cocción: 50 minutos

Ingredientes

* 4 pimientos rojos
* 1 cebolla
* 2 dientes de ajo
* 600 g de tomate pelado y cortado en dados (en conserva)
* 4 cucharas soperas de aceite de oliva
* 1 manojo pequeño de perejil
* sal
* pimienta recién molida

Preparación

1. Pela el ajo y la cebolla y pícalos bien finos. Escurre los dados de tomate.
2. Corta los pimientos en cuatro trozos y retira las semillas y el corazón.
3. Precalienta el grill del horno. Dispón los pimientos en la bandeja del horno con la piel hacia arriba. Coloca la bandeja a unos 20 cm de la resistencia y asa los pimientos de 20 a 30 minutos, hasta que tengan la piel chamuscada y con ampollas. A continuación, pélalos. Para ello, sácalos del horno y envuélvelos unos 5 minutos en papel de aluminio; los pimientos se pelarán fácilmente. Córtalos en dados.
4. Calienta el aceite de oliva en una sartén. Incorpora la cebolla y el ajo picado y rehógalos durante 5 minutos a fuego lento sin dejar de remover hasta que queden translúcidos.
5. Añade los pimientos, déjalos 10 minutos a fuego lento y agrega el tomate. Salpimienta el sofrito y continúa la cocción 10 minutos más.
6. Lava el perejil y pica las hojas bien finas. En el último momento, incorpora 2 cucharadas de perejil picado y mezcla bien. Comprueba la sazón y pasa la fritada a una fuente. Puedes servirla como guarnición de carne asada, o bien fría como entrante.

Fruto ↘

Las flores son amarillas y forman cimas de 3 a 20 flores (inflorescencia en la que todos los ejes tienen un crecimiento limitado y acaban en una flor). Florece durante todo el verano hasta la llegada del frío. La corola mide 2 centímetros de diámetro.

tomate redondo

Hoja

Las hojas son compuestas, habitualmente grandes y gruesas (miden más de 20 centímetros), con un margen dentado, y con foliolos impares compuestos que se disponen a ambos lados de un eje central, con unos foliolos mayores, e, intercalados, otros menores.

↖ Flores

El fruto es una baya de color rojo cuando está maduro, que suele medir de 2 a 20 centímetros de diámetro. No tiene una forma concreta. Así, puede ser esférico, globuloso o lobulado de manera irregular. En cuanto al color, pueden ser amarillos (tumbling tom yellow), naranjas, verdes (green grape), e incluso blancos, además de rojos, los más característicos.

A **todo**
le **sienta** bien el **tomate,**
menos a las **gachas**
y al **chocolate**.

DICE EL REFRANERO

La tomatera (*Solanum lycopersicum* L.
= *Lycopersicon esculentum* Mill.) es
una planta sarmentosa, sin espinas,
pilosa, glandulosa y aromática de la
familia de las Solanáceas. Originaria
de Centroamérica y Sudamérica llegó
a Europa gracias al descubrimiento de
América por Cristóbal Colón. Aunque
es perenne, en zonas templadas
se cultiva como anual, ya que
siente predilección por el calor. Y
aunque habitualmente las matas
de tomatera deben atarse, existen
variedades más rastreras, otras bajas
o incluso alguna colgante.

Son numerosas las variedades de tomate. Para comer en
ensalada se utiliza el palo santo de Lleida, de Montserrat o raf.
Para conservar, son ideales los tomates de colgar, los de pera,
los de punxeta, los de Lleida o trumfera. Otras variedades son:
cóctel, benach, de Girona, verde d'Oristà, de Tírvia, de colgar
mallorquí, gardener's delight, myriade, dombello, san Marzano,
totem y tumbler, entre otras muchas. Si lo que se desea son
variedades de tamaño pequeño, hallamos el cherry, apéro,
piccolo, tiny tim y miniboy.

tomate

gall**tomate**

eusk**tomate**

cat**tomàquet**

Los tomates en tu huerto

Existe una gran tradición en el cultivo de tomates y hay muchísimas variedades entre las que elegir. Se escogerán las que más nos gusten en función de si los queremos para consumo en verano, si se van a conservar para el invierno. Se deben elegir variedades antiguas que no hayan sufrido procesos de hibridación, pues son más sabrosas y están más adaptadas al terreno.

Siembra

Se siembran en un semillero protegido de marzo a abril. Lo ideal es hacer una siembra a voleo en una maceta de unos 30 cm de diámetro.

Con una buena exposición solar y resguardada del frío, se tiene que regar con precaución hasta que germinen las semillas.

Cuando las plántulas tengan unos 10 cm, se pueden repicar de forma individual a macetas pequeñas con una buena tierra orgánica, a ser posible con compost bien descompuesto.

Dependiendo del clima, las plántulas podrán sacarse al exterior de día y entrarlas por la noche, para que se vayan aclimatando a la temperatura exterior.

Trasplante

Cuando las plántulas hayan alcanzado unos 15 cm de altura, ya se pueden trasplantar a su lugar definitivo. Siempre intentando evitar las posibles heladas tardías, lo ideal es trasplantar de mediados a final de primavera.

Mientras tenga los nutrientes necesarios, las tomateras se adaptan bien a cualquier tipo de suelo. Prefiere los suelos ricos y ligeros, aunque también se desarrolla en los pedregosos, pues el calor de verano acumulado en las piedras favorece su crecimiento radicular.

Es necesaria una buena aportación de compost, pues la mayoría de solanáceas son exigentes en cuanto a nutrientes.

Se deben plantar una al lado de otra y a una distancia de unos 50 cm, ya que es conveniente que crezcan en paralelo para el posterior tutorado. Entre hileras se dejará un espacio generoso para poder pasar de forma cómoda (unos 60 o 70 cm es ideal).

Cultivo

Cuando las plantas alcancen unos 30 cm de altura, conviene atarlas a un tutor, pues su naturaleza es trepadora.

La forma clásica de tutorar las tomateras es clavando una caña al lado de cada plántula, teniendo cuidado de no dañar las raíces y el joven tallo. Una vez se ha clavado una caña por tomatera, se deben cruzar a media altura y atarlas de forma que formen una X. Para conferirles más estabilidad, se pondrá otras cañas en horizontal que crucen toda la hilera por la zona de intersección que forman las cañas. Se atan bien, y después cada tomatera se une a su caña.

Las tomateras necesitan abundante agua, por lo que es conveniente regarlas una vez al día en pleno verano, evitando el encharcamiento y manteniendo el suelo bien ventilado.

El acolchado con paja vuelve a ser muy útil, pues evita en gran medida el crecimiento de hierbas competitivas y mantiene el suelo húmedo. También existen variedades de tomates que no necesitan tutor, ya que tienen un menor crecimiento vegetativo. En este caso, el acolchado con paja es muy necesario, puesto que evita que los frutos estén en contacto con el suelo y aparezcan problemas de podredumbre.

Cuando las tomateras empiecen a crecer, es importante despuntar los brotes que nacen entre el tallo principal y las ramificaciones, pues estos darían lugar al nacimiento de nuevas ramificaciones que impedirían una correcta fructificación.

Las tomateras tienen un importante crecimiento vegetativo y acabarán trepando por la práctica totalidad de las cañas. Se deben atar a medida que crezcan, pero con cuidado para no dañar los tallos. Durante la primera fructificación se debe tener cuidado con el riego, pues un exceso de

agua en estos momentos podría agrietar los tomates y hacerlos más sensibles a posibles enfermedades. Como todas las solanáceas, es importante no repetir su cultivo en el mismo lugar hasta transcurridos 4 años, y en su sitio se plantarán leguminosas para recuperar el equilibrio del suelo.

Cuidado

Un exceso de humedad ambiental puede causar problemas fúngicos, especialmente mildiu. Para combatirlo, hay que rociar las plantas con sulfato de cobre, también llamado *caldo bordelés*. Una buena medida preventiva es clavar en el pie de los tallos un pequeño alambre de cobre; es un poco laborioso, pero es una excelente medida preventiva para los problemas criptogámicos.

Plantar perejil y ajos entre las plantas también ayudará a combatir posibles plagas.

Recolección

Los primeros frutos empiezan a madurar unos tres meses después del trasplante. Es importante saber escoger el momento de su recolección. Si se quieren consumir de inmediato, se debe aguantar la maduración en la planta al máximo, así los degustaremos jugosos y sabrosos. Si se dispone de variedades para conservar, se recogerán justo cuando comiencen a tomar color. Se tienen que colgar en un lugar seco y ventilado, donde acabarán de madurar. De esta forma se podrá degustar tomates durante todo el invierno.

El tomate es una hortaliza muy ligera, baja en calorías y, por tanto, poco energética. Posee un elevado contenido en agua y proporciona vitaminas C, A y B. Es especialmente interesante por sus propiedades diuréticas, laxantes y antioxidantes. Juega un papel importante en la prevención de enfermedades cardiovasculares y del sistema circulatorio. Hay que tener cuidado si se consume la piel, puesto que puede resultar indigesta.

Tomates
secos

Prepara la despensa para cuando llegue el invierno. Entre otros productos, puedes conservar los tomates mediante la técnica del secado. Para ello, corta los tomates por la mitad en horizontal. Colócalos hacia arriba en una criba o rejilla sobre unos caballetes para que se aireen por todos los lados.

Cúbrelos con bastante sal marina gorda (protege de los insectos) y déjalos al sol y al aire. Por la noche, introdúcelos en casa o cúbrelos con plástico para que no se ablanden con el rocío. Al cabo de una semana (de agosto) estarán secos y se podrán conservar en un lugar seco. Una idea para sacar partido a los tomates secos: el pesto siciliano, ideal para acompañar los platos de pasta, pero también para las carnes.

Pesto
siciliano

Para 8-10 personas
Preparación: 20 minutos
Sin cocción

Ingredientes

* 100 g de tomates secos
* 100 g de concentrado de tomate
* 30 g de alcaparras en vinagre
* 50 g de aceitunas verdes deshuesadas
* 200 g de ramas de apio
* 2 chiles rojos frescos
* 25 g de uvas pasas
* 25 g de piñones
* 1 ramita de albahaca
* 1 ramita de menta
* 1 cucharada de sopera de pimentón dulce
* aceite de oliva

Preparación

1. Limpia el apio y los chiles y trocéalos. Introdúcelos en un robot o picadora eléctrica y tritúralos bien finos. Añade los tomates secos, las alcaparras, las aceitunas, las hojas de menta y de albahaca y casi todo el pimentón y tritura.

2. Vierte el contenido en un cuenco y añade el tomate concentrado y mezcla bien. Cubre con 100 ml de aceite de oliva y deja reposar unas horas antes de consumirlo.

3. Prepara una picada con los piñones, las uvas pasas y el pimentón restante. Mezcla bien la salsa para incorporar el aceite y agrega la picada para decorar en el momento de servir.

Ingredientes

* 1,5 kg de tomates
* 2 cebollas
* 2 dientes de ajo
* 150 ml de caldo de verduras o de pollo
* 200 ml de agua
* 1 ramita de romero fresco o 1 cucharadita de romero seco
* aceite de oliva
* sal
* pimienta recién molida

Sopa fría de tomate

Para 6 personas
Preparación: 20 minutos
Cocción: 20 minutos

Preparación

1. Pela la cebolla y el ajo y sofríelos en una cazuela grande con 3 cucharadas soperas de aceite durante 3 o 4 minutos.
2. Mientras, practica una incisión en forma de cruz en la base de los tomates y escáldalos durante 30 segundos en agua hirviendo. Pélalos, córtalos en cuñas y retira las semillas. Introdúcelos en la cazuela y rehoga un par de minutos. Incorpora el caldo, el agua y unas hojitas de romero (no muchas, puesto que tienen mucho sabor) y deja cocer a fuego medio durante 20 minutos.
3. Salpimienta y tritura con la batidora de inmersión. Deja entibiar e introduce en la nevera al menos 2 horas.
4. Sirve decorado con unas hojitas de romero y rociado con unas gotas de aceite de oliva crudo. Acompaña con tostadas de pan recién hechas.

Para las tostadas de pan: corta media baguette en rebanadas finas, pincélalas con aceite de oliva, espolvoréalas con romero picado y dóralas bajo el grill unos instantes hasta que se doren.

Tomates rellenos con cuscús de langostinos

Para 6 personas
Preparación: 20 minutos
Cocción: 15 minutos

Ingredientes

* 100 g de cuscús precocido
* 8 langostinos
* 4 tomates
* 1 cebolla
* 2 dientes de ajo
* 30 g de mantequilla
* ½ limón
* aceite de oliva
* 3 ramitas de perejil
* 3 ramitas de albahaca
* sal
* pimienta recién molida

Preparación

1. Hierve los langostinos en agua hirviendo con sal un minuto desde la ebullición. Escúrrelos y refréscalos en agua fría para detener la cocción. Cocina el cuscús siguiendo las instrucciones del fabricante. Déjalo enfriar y separa los granos con las manos.
5. Pela la cebolla y los ajos y pícalos. Calienta la mantequilla y 2 cucharadas soperas de aceite en una sartén y sofríe la cebolla y el ajo de 3 a 4 minutos. Añádelos al cuscús, junto con los langostinos picados y unas gotas de zumo de limón.
3. Lava las hojas de perejil y albahaca y pícalas. Agrégalas al cuscús y mezcla bien.
4. Lava los tomates, corta la parte superior y vacíalos con una cucharilla. Rellénalos con el cuscús preparado, vuelve a tapar y cuece en el horno precalentado a 200 °C durante 12 minutos.

También puedes servir los tomates fríos, sin hornearlos. Móntalos en una fuente tipo buffet para que la gente se sirva a su gusto. Acompaña, si lo deseas, con un poco de mayonesa. Rellénalos también con arroz, trigo precocido o pasta pequeña.

Ensalada de rúcula y tomatitos con vinagreta de piñones

Ingredientes
* 150 g de rúcula
* 1 cajita de tomatitos cherry
* 40 g de queso Parmesano en un trozo

Para la vinagreta
* 40 g de piñones
* 2 ramitas de perejil
* 1/2 ajo pequeño (opcional)
* 1/2 limón o 2 cucharadas de vinagre de vino blanco
* 6 cucharadas soperas de aceite de oliva
* sal
* pimienta recién molida

Para 4 personas
Preparación: 20 minutos
Cocción: 2 minutos

Preparación

1. Lava la rúcula y escúrrela bien. Si no tienes centrifugador, sécala con un paño de cocina limpio. Lava los tomatitos y córtalos por la mitad o en cuartos.
2. Corta el queso parmesano en láminas finas con un cortador de queso o un cuchillo de lama ancha bien afilado. Mezcla la rúcula con los tomatitos y el queso en una fuente de servir o en los platos.
3. Prepara la vinagreta: dora los piñones con unas gotas de aceite en una sartén y muévelos a menudo para que no se quemen. Introdúcelos en el vaso de la batidora con las hojas de perejil lavadas, el trocito de ajo, sal, pimienta, el limón y el aceite y tritura hasta obtener una pasta homogénea.
4. Utilízala para condimentar la ensalada.

El ajo da mucho sabor, por lo que en esta vinagreta es preferible usar un trocito muy pequeño para solo tener un poco del aroma sin que oculte el delicado sabor del piñón. Para convertir esta receta en un plato de lujo, solo debes añadir 12 colas de gambas frescas pasadas por la sartén con unas gotas de aceite y una pizca de sal y de pimienta.

Tagliatelle con tomate confitado y pesto

Ingredientes
* 350 g de tagliatelle
* 400 g de tomates
* 200 ml de aceite de oliva
* 1 manojo de albahaca fresca
* 2 cucharadas de nueces
* 40 g de queso Parmesano troceado o rallado
* 3 dientes de ajo
* sal
* pimienta recién molida

Para 4 personas
Preparación: 15 minutos
Cocción: 12 minutos

Preparación

1. Practica una pequeña incisión en la piel de los tomates y escáldalos unos 20 segundos. Escúrrelos, refréscalos y pélalos. Córtalos en cuartos y retira las semillas. Introdúcelos en un cazo con tres cuartas partes del aceite frío y dos ajos cortados por la mitad y cocina a fuego suave hasta que empiece a burbujear. Luego, aparta el recipiente del fuego y deja que se enfríe.
2. Introduce las hojas de la albahaca en el vaso de la batidora. Añade el aceite, el ajo restante pelado, las nueces, el queso y una pizca de sal, y tritura hasta obtener una salsa pesto fina.
3. Hierve la pasta en abundante agua hirviendo el tiempo indicado por el fabricante y escúrrela. Sírvela en platos hondos con los tomates confitados con parte de su aceite y con la salsa pesto. Decora, si lo deseas, con unas hojitas de albahaca.

La albahaca, una vez cortada de su planta, se estropea con facilidad. Una buena manera de conservarla es preparando un aceite con las hojas de albahaca limpias y trituradas y conservarlo en la nevera.

Quiche de tomates y calabacín

Para 6-8 personas
Preparación: 25 minutos + reposo
Cocción: 40 minutos

Ingredientes

* 1 lámina de hojaldre
* 3 huevos
* 200 ml de nata líquida
* 50 g de queso emmental rallado
* 1 puerro (200 g)
* 1 calabacín
* 4 tomates
* 1 diente de ajo
* 1 cucharadita de hojas de tomillo
* 2 cucharadas soperas de aceite de oliva
* sal
* pimienta recién molida

Preparación

1. Forra con el hojaldre un molde de tarta engrasado y recorta la masa que sobresalga. Cubre con papel de horno y legumbres secas y cuece en el horno a 180 °C durante 10 minutos.
2. Mientras, limpia los tomates y el calabacín y córtalos en rodajas. Sala los tomates y déjalos escurrir en un colador. Retira la parte verde del puerro y la raíz, córtalo en aros finos y lávalo.
3. Escalda el calabacín durante 2 minutos en agua hirviendo. Sofríe el puerro en una sartén con el aceite de 6 a 8 minutos, hasta que esté blando. Retíralo del fuego y resérvalo.
4. Mientras, bate los huevos en un cuenco con la nata y el queso y condimenta con sal, pimienta, el ajo picado y el tomillo. Retira el molde del horno y quita el papel y las legumbres. Reparte las verduras en su interior y vierte la mezcla de huevo y nata.
5. Cuece en el horno a 180 °C de 25 a 30 minutos.

Ingredientes

* 400 g de lomo de bonito fresco
* 2 pepinos
* 1 tomate grande
* 12 cucharadas de aceite de oliva
* 4 cucharadas de vinagre de Jerez
* 4 hojas de gelatina
* sal

Terrina de bonito con tomate y pepino

Para 4 personas
Preparación: 30 minutos
Sin Cocción

Preparación

1. Pela los pepinos, córtalos en rodajas muy finas, sazónalos con abundante sal y déjalos en un colador para que pierdan parte de su agua. Corta el pescado en filetes finos y largos, colócalos en una fuente y alíñalos con el aceite y el vinagre. Déjalos marinar 30 minutos. Escalda los tomates unos 20 segundos, pélalos, retira las semillas y córtalos en dados muy pequeños.
2. Deja en remojo las hojas de gelatina en agua fría 3 o 4 minutos, escúrrelas y dilúyelas con 2 cucharadas de agua caliente. Escurre el bonito, mezcla la gelatina disuelta con el jugo de la maceración y agrega los dados de tomate.
3. Forra un molde alargado con film transparente y llénalo con capas alternadas de pepino y de bonito. Vierte por encima el jugo con la gelatina y los daditos de tomate, procurando que quede bien repartido, y resérvalo en la nevera durante 3 o 4 horas antes de desmoldarlo.

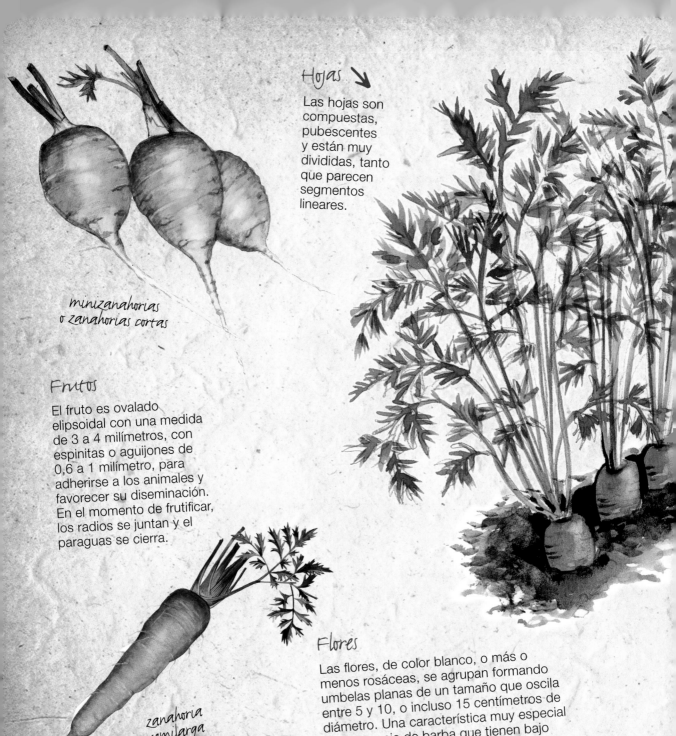

Hojas ↘

Las hojas son compuestas, pubescentes y están muy divididas, tanto que parecen segmentos lineares.

minizanahorias o zanahorias cortas

Frutos

El fruto es ovalado elipsoidal con una medida de 3 a 4 milímetros, con espinitas o aguijones de 0,6 a 1 milímetro, para adherirse a los animales y favorecer su diseminación. En el momento de frutificar, los radios se juntan y el paraguas se cierra.

zanahoria semilarga

Flores

Las flores, de color blanco, o más o menos rosáceas, se agrupan formando umbelas planas de un tamaño que oscila entre 5 y 10, o incluso 15 centímetros de diámetro. Una característica muy especial es la especie de barba que tienen bajo la umbela, que se corresponde a las brácteas florales, muy divididas y finas, que se hallan en la base de los radios de la flor. Florece de abril a noviembre.

Zanahorias y **nabos**, primos hermanos.

La zanahoria (*Daucus carota* L. subsp. *sativus* [Hoffm.] Arcang.) pertenece a la familia de las Umbelíferas. Existen diversas especies silvestres del género *Daucus* que se desarrollan cerca del mar o en márgenes de caminos, y, en concreto, *D. carota* presenta diversas subespecies: *sativus* (cultivada), *maritimus*, *carota* (la zanahoria silvestre) o *maximus*. La especie cultivada fue introducida probablemente por los árabes y su origen se sitúa en la zona de Irán y Afganistán.

La zanahoria cultivada es una hierba pilosa, bianual (necesita dos años para florecer), cuyo tallo alcanza una altura de un metro o metro y medio y que florece. Pero las zanahorias cultivadas suelen recolectarse unos meses después de plantarlas, por lo que no llegan a alcanzar esta altura. Posee una raíz de color naranja que se encuentra engrosada, con una forma cónica, cilíndrica o redondeada, y que mide entre 10 y 25 centímetros de largo. Alguna variedad muestra una coloración violeta, amarilla, naranja e incluso blanca.

La zanahoria se puede clasificar en tres grupos dependiendo de la forma, el tamaño y la aplicación culinaria. Las grandes se consumen crudas y guisadas, las alargadas y finas se emplean para conservas, y los manojos tienen unas zanahorias muy tiernas y dulces, ideales para degustar crudas. Las principales variedades e híbridos cultivados son la morada, mignon y parmex (cortas), julia y migo (semicorta), juwarot, turbo y rothild (dulces), parisina (raíz redonda), rondó, amsterdam (cilíndrica, medio-larga), chantenay (cónica alargada, a veces con el corazón rojo), danvers (similar a la anterior), guerande (cónica corta), meñique (raíces pequeñas, con forma de dedo), nantesa (cilíndrica alargada), flakee (más alargada que la nantesa, terminación roma), mallorquina, antares (cilindrocónica), long imperator (anaranjado intenso, raíz larga), san Valery (larga, grande y puntiaguda), tip-top, carson F1, nipón, tino F1, etcétera.

zanahoria

gall cenoria

eusk azenario

cat pastanaga

Las zanahorias en tu huerto

El cultivo de la zanahoria no es fácil, pues tiene unas necesidades un poco más peculiares y de difícil manejo, pero su gran versatilidad y poder nutricional hace que sea interesante plantar y producir las tan deseadas y valiosas zanahorias.

Siembra

En buena parte de nuestro territorio podemos disponer de zanahorias durante todo el año, simplemente respetando los calendarios de siembra de cada variedad y procurando escoger las que estén adaptadas a nuestra zona. Los ancianos son los que más nos ayudarán en el cultivo, pues las zanahorias requieren experiencia y ellos son los más adecuados. En zonas cálidas, se pueden sembrar a partir de enero, y en lugares más fríos de marzo a abril. Para disfrutar de zanahorias durante todo el invierno, se deben sembrar justo al finalizar el verano.

La viabilidad de las semillas de zanahoria es muy elevada, y se pueden guardar hasta 10 años. Su germinación es lenta y se puede demorar hasta más de 15 días.

Lo habitual para la siembra de zanahoria es hacerlo a voleo en su lugar definitivo. La única dificultad es su diminuto tamaño. Esto puede dificultar la siembra homogénea. Para facilitar esta labor, las semillas se pueden mezclar con arena fina o con cal, ya que con ello se reparten mejor en el bancal de cultivo. El suelo debe estar bien mullido, suelto, y por encima de todo, arenoso. Algunos agricultores que tienen tierra muy arcillosa suelen mezclar el suelo de cultivo con arena fina hasta conseguir la textura suelta que les gusta a las zanahorias.

Se puede añadir compost, pero deberá estar seco y muy bien descompuesto. La materia orgánica fresca no es aconsejable.

Una vez que germinen las semillas, se tiene que realizar un primer aclarado separándolas unos 3 cm entre ellas. En este punto se debe tener cuidado, pues debido al tiempo de germinación es probable que crezcan malas hierbas que dificultarían el aclarado. En este caso es aconsejable dejar el suelo limpio de malas hierbas antes de que salgan las zanahorias. Esta tarea se puede realizar una semana después de la siembra. Identificaremos las zanahorias porque nacen con dos hojitas finas en forma de V y dobladas.

Es ideal sembrar la zanahoria en Luna menguante. Transcurridas unas semanas, se debe realizar otro aclareo hasta dejarlas separadas unos 10 cm aproximadamente, y unos 25 cm entre hileras.

Cultivo

El principal problema durante el cultivo es el desherbado. El crecimiento de las zanahorias es lento y su porte no es muy espeso, por lo que las malas hierbas tienen muchas ventajas. Las escardas deben ser periódicas para mullir la tierra y eliminar a los competidores.

Entre hileras, esta actividad se puede realizar con azada, pero entre las zanahorias es imprescindible retirar la hierba a mano. Hay que ser cuidadosos para no compactar la tierra ni removerlas demasiado. No

se tienen que dañar, ya que esto puede conllevar problemas de enfermedades.

Como todas las plantas de raíz, necesita un buen aporte de fosforo y potasio. La de ceniza de madera limpia es de gran ayuda. La aportación se debe realizar en el momento en que se prepare el suelo, una semana antes de la siembra.

La zanahoria se puede sembrar intercalada con puerros y cebollas, pues se asocian muy bien y ayudarán en el control de plagas.

Es importante mantener un riego constante, sin ser copioso; la tierra debe estar húmeda, ya que si se seca pueden agrietarse las zanahorias.

Como siempre, si es posible, hay que mantener rotaciones de cultivo de 4 años. En su lugar, es posible plantar solanáceas como tomates o pimientos y escoger el lugar donde estaban las lechugas, las remolachas o las acelgas.

Cuidado

El peor enemigo de la zanahoria es la mosca que lleva su nombre, la mosca de la zanahoria.

En invierno dejan centenares de larvas latentes en el suelo, que con la llegada del buen tiempo, se transforman en moscas adultas. Estas salen del suelo

y ponen centenares de huevos al día, que eclosionan en apenas dos semanas, y las pequeñas larvas penetran en la raíz. En poco tiempo, las plantas jóvenes se marchitan y se pudren, y las adultas resultan incomestibles por su intenso sabor amargo. Estas larvas solo nacen en ambientes templados; en pleno verano y en pleno invierno están latentes. Los cultivos más afectados serán los de primavera y otoño.

Lo ideal para combatir a esta plaga es la prevención con una buena rotación de cultivo y con rociadas periódicas de purín de ortiga. En caso de que se extienda, hay que tomar medidas más drásticas, como la aplicación de algún insecticida vegetal que mate o ahuyente a las moscas. En este caso se puede optar por la infusión de ajo.

Si, entre hileras, se planta lavanda, cebollas o puerros, también puede reducirse el problema.

Recolección

Las zanahorias son sensibles a la recolección, pues una manipulación inadecuada puede atraer a la mosca. Se recogerán por uno de los extremos de las hileras. Se sabe que están al punto por la frondosidad de sus hojas; podemos desenterrar un poco las primeras para ver si están bien formadas.

En caso de haberlas sembrado después del verano, se dejarán en el suelo durante el invierno para recolectarlas según nuestras necesidades. En este caso, se debe tener mucho cuidado con la mosca, pues se podría perder toda la cosecha.

La zanahoria es rica en agua, azúcar, sales minerales, vitaminas; especialmente provitamina A, y pectina. También contiene un pigmento, el caroteno, que le da ese color anaranjado, y que resulta eficaz en la prevención del cáncer; además, prepara la piel para el bronceado. La provitamina A es un antioxidante natural que protege el sistema cardiovascular. Asimismo, tiene propiedades diuréticas y es buena para la vista.

Ingredientes

* 150 g de escarola
* 3 naranjas
* 3 zanahorias
* 1 cebolla tierna
* 2 cucharadas de aceitunas negras de Aragón
* 4 cucharadas de aceite de oliva
* 2 cucharadas de vinagre balsámico
* sal
* pimienta recién molida

Ensalada de zanahorias y naranjas

Para 6 personas
Preparación: 20 minutos
Sin cocción

Preparación

1. Pela las zanahorias y córtalas a lo largo en rodajas muy finas con la ayuda de un pelador. Ponlas en un cuenco con agua con hielo unos minutos.

2. Pela las naranjas al vivo eliminando toda la piel blanca y retira los gajos uno a uno con un cuchillito bien afilado, separándolos de las membranas blancas. Exprime los restos de naranja para obtener todo el zumo posible y mézclalo con el vinagre, sal y pimienta y el aceite.

3. Limpia la cebolla tierna y córtala en cuñas. Lava la escarola si fuese necesario, escúrrela y ponla en una ensaladera. Agrega la cebolla, los gajos de naranja, la zanahoria escurrida y las aceitunas y condimenta con la vinagreta preparada y sirve rápidamente.

Incorpora a la ensalada dos cucharadas de pipas peladas. Le dará un toque salado delicioso y aportará algo más de energía.
Las hojas de la escarola contrastan con el fuerte sabor y la acidez de la naranja pero también puedes utilizar hojas de lechuga normales.
Si quieres convertir este plato en una receta más consistente con los mismos sabores, prepara un poco de cuscús precocido y añade todos los ingredientes bien picados; se convertirá en un taboulé muy original y refrescante.

Crema fría de zanahorias al curry

Para 6 personas
Preparación: 15 minutos
Cocción: 20 minutos

Ingredientes

* 500 g de zanahorias
* 1 cebolla
* 2 naranjas
* 60 g de mantequilla
* 1 cucharada de harina
* 400 ml de caldo de pollo
* 100 ml de nata líquida
* 1 cucharadita de curry
* 4 langostinos hervidos
* sal
* pimienta

Preparación

1. Pela la cebolla y las zanahorias y trocéalas. Calienta la mantequilla en una cazuela y rehoga la cebolla un par de minutos. Agrega la zanahoria y cocínala 3 minutos más sin dejar de remover.
2. Espolvorea la harina, remueve, vierte el caldo y salpimienta. Cuece durante 15 minutos hasta que la verdura esté tierna.
3. Retira del fuego y tritura bien fino con una batidora de inmersión. Corta una rodaja de las naranjas y exprime el zumo del resto. Incorpora el zumo de naranja, la nata y el curry a la crema de zanahoria y rectifica de sal.
4. Deja que se enfríe en la nevera hasta el momento de servir. Viértela en 4 cuencos y decora con un trocito de naranja y una cola de langostino, si lo deseas.

Otros sabores: esta crema también combina muy bien con el jengibre. Sustituye el curry por un trocito de jengibre fresco rallado o una cucharadita de café de jengibre seco.

Magdalenas de zanahoria

Para 12-14 unidades
Preparación: 35 minutos
Cocción: 17 minutos

Ingredientes

* 160 g de harina
* 3 huevos
* 250 g de azúcar moreno
* 120 g de aceite neutro
* 2 cucharaditas de levadura en polvo
* 1 cucharadita de jengibre molido (opcional)
* 210 g de zanahoria rallada
* 30 g de nueces picadas

Para la cobertura

* 85 g de mantequilla
* 110 g de queso fresco para untar
* 125 g de azúcar en polvo
* 1 cucharadita de café de ralladura de naranja
* una pizca de sal

Preparación

1. Pon el azúcar y el aceite en un cuenco y bate durante 2 minutos con la ayuda de unas varillas eléctricas. Agrega los huevos poco a poco, seguidos de la harina tamizada junto con la levadura. Incorpora también el jengibre, la zanahoria y las nueces y mezcla bien. Vierte la preparación en pequeños moldes de papel rizado colocados en un molde metálico o de silicona para magdalenas y hornea en el horno precalentado a 180 °C durante 17 minutos.
2. Para la cobertura, deja reblandecer la mantequilla a temperatura ambiente. Ponla en un cuenco grande y bate con unas varillas eléctricas durante 2 minutos hasta que esté esponjosa. Agrega el queso fresco y sigue batiendo un par de minutos más. Añade el azúcar, la ralladura de naranja y la pizca de sal y bate 3 o 4 minutos más.
3. Retira con cuidado las magdalenas del horno y déjalas enfriar. Recúbrelas con la crema de queso con una pala de pastelería o un cuchillo de untar.

Índice alfabético

Créditos fotográficos